KB055803

죽지 않는 엑스트라

인타임 페이퍼북 시리즈

죽지 않는 엑스트라 13

ⓒ 토이카, 2021

인쇄일 2022년 2월 8일 초판 1쇄 발행일 2022년 2월 15일 | 발행인 김명국 | 책임 편집 안효정
| 제작 최은선 | 발행처 주식회사 인타임 출판 등록 107-88-06434(2013년 11월 11일) 주소
서울시 구로구 디지털로 1길 38-21 이앤씨벤처드림타워 3차 405호 전화 070-7732-6293
팩스 02-855-4572 이메일 in-time@nate.com | ISBN 979-11-03-32076-8(04810)
979-11-03-31616-7 (세트) | 이 책은 주식회사 인타임이 저작권자와의 계약에 따라 발행한
것이므로 내용의 전부 또는 일부를 사용하려면 반드시 양측의 동의를 받으셔야 합니다. 잘못된
책은 구매처에서 바꿔 드립니다.

죽지 않는 엑스트라

13

토이카 퓨전 판타지 장편소설

intime

차례

Chapter 56.

에반 디 세어든, 전력을 보강하다

"아니 이럴 수가, 드래곤 하트라니!"

버나드는 제 눈앞에 펼쳐진 현실을 믿지 못해 외쳤다.

"드래곤 하트라니!"
"시끄러워요, 할아버지. 아주 그냥 동네 사람들 다 알겠네."
"소리가 외부로 새지 않게 해 놨으니 문제없다, 이놈아. 하지만…… 드래곤 하트라니!"
"어휴, 할아버지도 참."

에반도 그의 심정은 충분히 이해했다. 어쩌면 지금 그는 엘릭시르의 핵심 재료인 피닉스의 깃털을 발견했던 때보다도 더 크게 흥분하고 있는 것일지도 몰랐다.

그도 그럴 것이 드래곤은 전설상의 존재였고, 그런 드래곤을 죽여야만 얻을 수 있는 드래곤 하트는 '확실하게' 인간의 손에는 들어올 일이 없는 신물 취급이었으니까.

막연히 없을 것이라 생각되던 피닉스의 깃털과는 취급이 달랐다.

"내가 너를 따라갔어야 하는 건데! 직접 드래곤을 봤어야 했는데!"

"할아버지가 이렇게 격한 표현을 하는 건 처음이네요."

"드래곤이지 않느냐, 드래곤! 그래서, 이것뿐이냐? 당연히 뭘 좀 더 챙겨 왔겠지?"

"그야 당연하죠."

에반은 버나드의 기대에 찬 눈을 배신하지 않기 위해 인벤토리 포켓에서 여러 가지 물건들을 후다닥 꺼내 들었다.

오르타와 엘라에게 건넨 것과는 별개로 연금술 용도로 따로 떼어 내 보관하고 있던 비늘과 가죽, 뼈와 힘줄 따위의 것. 버나드는 그것을 보며 기쁨을 감추지 않았다.

"훌륭하다, 훌륭해. 그래도 내 제자라고 시료 채취는 꼼꼼히 했구나."

야금술이 소재 자체를 이용해 좋은 무구를 만들어 내는 것을 목표로 한다면, 연금술은 소재가 지닌 능력을 분석해 그것을 별개의 수단을 동원해 재현, 혹은 개량하는 것을 목표로 삼는다. 지향점이 다른 만큼 필요로 하는 신체 부위도 조금 달랐다.

"그리고 여기 이것."
"오, 오오오오!"

에반이 마지막으로 꺼내 든 것은 바로 선홍빛의 액체가 담긴 시험관이었다. 물론 버나드는 그 액체가 무엇인지 바로 알아볼 수 있었다.

"드래곤의 피…… 채취에 성공했구나."
"성공했다기보단 고기랑 뼈를 추리면서 흘러나온 것들을 모두 착실하게 담아 온 거죠. 대략 50리터는 챙긴 것 같네요."
"50리터!"

피는 많은 정보를 담고 있다. 특히 마도의 주인이라 불리는 드래곤의 피는 그것만으로 마도 술식의 최고위 재료이며 적절한 처치를 가하면 마력을 급속도로 회복시켜 주는 최상위 포션을 만들어 낼 수도 있다.

"물론 그렇게 소모하기에는 아깝지……. 이 피에 드래곤의 육체와 마력의 비밀이 담겨 있을 게야. 엘릭시르 연구에도 도움이 될 수 있겠지.”

"우리가 그 비밀을 제대로 캐낼 수 있다면 말이죠.”

드래곤 하트를 효율적으로 이용할 수 있게 되는 것도 그때부터다. 드래곤 하트로 포션을 만들든, 아티팩트를 만들든, 혹은 다른 마도구를 만들든 드래곤에 대한 깊은 이해 없이는 효율이 떨어질 수밖에 없으리라.

"좋다, 바로 시작해 보자꾸나! 드래곤의 힘을 우리 힘으로 다시 재현해 보는 거야!”

엘릭시르에 이어 필생의 연구 과제를 선물받은 버나드가 활기가 넘쳐 나는 목소리로 외쳤다. 하지만 에반은 그 말에 단호히 고개를 젓곤 말했다.

"그 전에 밥 먹어야죠. 할아버지도 같이 드래곤 스테이크 먹으러 가요. 지금쯤 주인장이 준비를 마쳐 놨을 거예요.”
"아니, 네놈 설마…….”

설마 귀중한 드래곤의 사체를 루팅할 기회를 도축을 하는 데에 허비한 것이란 말인가, 하는 경악 섞인 버나드의 시선을 에반은 상쾌한 웃음으로 받아쳤다.

"……맙소사."

자신의 행동에 한 점 후회가 없는 이들만 지을 수 있는 멋진 미소에 버나드가 어처구니없어하는 표정을 짓고 있자니 에반이 그의 손을 잡아당기며 재차 권유했다.

"자자, 얼른 고기 먹으러 가죠! 일로인이랑 로즈, 에이르도 같이 데리고……."
"하, 제자를 잘 길러 냈다고 뿌듯해하던 3분 전까지의 나 자신을 묻어 버리고 싶어지는구먼."

버나드는 이미 저녁 식사를 했다는 이유로 끝내 그것을 사양했다.
하지만 속내는 그와 달랐다. 고기를 먹으면 에반에게 동조하는 셈이 된다고 여긴 것이다. 드래곤 고기의 효과를 알게 된다면 그 생각도 달라질 텐데!

"그럼 일단 혼자서 연구하고 있으마. 난 도저히 이 연구를 뒤로 미룰 수 있을 것 같지가 않구나."
"칫, 그럼 어쩔 수 없죠. 내일부턴 저도 도와 드릴 테니까 너무 서두르지는 마세요."
"오냐."

에반은 유감스러워하며 속으로는 내일 에이르 편으로 드래곤 고기 4인분을 챙겨 주고 말겠다는 다짐을 했다.

그러나 그대로 형제약국을 나서려던 에반은 그 순간 문득 떠오른 것이 있어 뒤돌았다. 시험관의 마개를 막 열려던 버나드가 또 할 말이 남았느냐며 고개를 갸웃했다.

"뭐냐?"

"할아버지, 레오 할아버지한테서 연락은 없어요?"

"너한테 말한 뒤로 따로 연락이 온 적은 없구나. 왜 그러느냐?"

"아뇨, 어쩌면 레오 할아버지가 마계에 가시게 된 이유를 조금 알 것도 같아서요."

"이놈이, 그 중요한 얘기를 왜 지금 하는 게냐."

"그야……."

그야 그것에 대해 자세히 설명할 길이 없기 때문이다.

세상에 다시 균열이 열리기 시작했으니, 레오 일행이 마계에 빨려 들어간 것도 운이 없어 마계의 균열과 맞닥뜨렸기 때문일 것이다…….

단지 그뿐, 그들을 마계로부터 되찾아오는 방법도, 균열을 찾아내는 방법도 아직은 알지 못하니까.

에반은 어깨를 으쓱이곤 나직이 말했다.

"아무튼 그것과 관련해서 말이죠, 조만간 다시 현역으로 뛰셔야 할지도 몰라요. 할아버지, 마음의 준비를 해 두시는 게 좋을 거예요."

"이 고얀 놈이 이젠 다 늙은 노인네를 전투원으로 부려 먹겠다고?"

"핫."

겉으로는 아무리 많게 봐도 고작 30줄로 보이는 버나드의 엄살에 에반은 코웃음을 쳤다. 이미 그의 육신이 얼마나 젊고 건강한지 훤히 꿰뚫고 있는데!

"귀중한 연구 샘플을 얻는 대가라고 생각하세요. 앞으로도 이런 일이 또 일어나게 될 것 같거든요."

"……허. 그 얘기였느냐."

에반의 말에 비로소 버나드도 드래곤 탓에 홀려 있던 제정신을 조금이나마 되찾았다.

드래곤 하트라는 결과물 이전에 드래곤이 이 세상에 나타났다는 과정이 보다 중요한 의미를 갖는다는 사실을 알아차린 것이다.

"미로엘 님은 이 사실을…… 당연히 알고 계시겠군."

"당연하죠. 그녀는 우리와 함께 행동하게 될 거예요. ……

장미 여왕은 물론이고 요마왕조차 우습게 뛰어넘는 적들이 나타나게 될지도 몰라요. 육체 단련, 다시 시작하시는 게 좋을지도요."

"우습게 보지 마라, 꼬맹아."

에반의 말에 이번에야말로 본연의 냉정함을 되찾은 버나드가 코웃음을 치며 대꾸했다.

"꾸준히 단련하지 않고서 일로인과 로즈와의 밤을 버틸 수 있을 것 같으냐."

"굉장히 폼 잡으면서 말씀하고 계시지만 내용은 형편없네요."

❊ ❊ ❊

"도련님!"

"산책이 길었네, 에반. 이제 곧 준비가 끝난다고 했으니 손만 씻고 바로 와."

에반이 버나드와의 담화를 마치고 본부로 돌아오자 대기하고 있던 벨루아와 아리샤가 그를 맞이했다. 식당에 가까워질수록 고기 굽는 기분 좋은 소리와 향기가 퍼져 왔다.

"단장님, 어서 오세요. 식당으로 바로 가시죠!"

"단장님 오셨다! 오늘 고기 파티는 단장님이 사냥해 오신 고기로 하는 거니까 다들 감사 인사!"

"감사합니다, 단장님!"

"식당, 다들 식당으로 집합!"

한밤중이었음에도 불구하고 식당이 제법 시끌시끌했다.

시니어조와 주니어조는 물론이고 평소 작업실에만 처박혀 있던 오르타와 엘라까지 나와 있었으니 사상 최대의 인구 밀집을 자랑하고 있었던 것이다.

"와아, 고기 먹는다!"

"단장 오빠야도 얼른 여기 와서 앉아, 란 옆에!"

"그런데 우리 무슨 고기 먹어?"

"어휴, 누가 들으면 평소에 고기 안 먹이는 줄 알겠네. 다들 차분히 앉아서 기다리고 있어!"

샤인과 함께 어스트레이의 군기반장을 담당하는 아리샤가 호들갑을 떠는 아이들을 진정시키고 자리에 앉혔다.

가장 어린 린과 란을 제외하고는 최소 만 열네 살 아이들인데, 던전에 갈 때를 제외하면 매일 본부에서 전투 훈련만 하며 지내는 탓인지 아직 정신적으로는 순수한 어린아이 그 자체.

아니, 오히려 어렸을 땐 지나치게 성숙했던 아이들이 뒤늦게 제 나이에 맞는 순수함을 되찾은 것일지도 모른다.

"그래도 이제 슬슬 자립시킬 때가 된 것 같은데."
"그건 포기하시는 게 좋을 것 같은데요. 어차피 한 명이라도 어스트레이 밖으로 나가면 큰일 날 테니까."
"음, 듣고 보니 그것도 그렇네."

에반은 순순히 샤인의 말에 따르기로 했다. 어스트레이의 멤버 중 인간 병기가 아닌 이가 없다. 이제 와서 이들이 평범한 사회생활을 하려 해도 주위에 남아나는 것이 없으리라.

"단장님, 우리 오늘 먹는 고기 뭐예요?"
"드레이크라고 도마뱀 종류 몬스터 중에 가장 크고 강력한 지상룡이야."
"용······!"

역시나 가만히 듣고 있던 진이 눈을 반짝이기 시작했다. 사실 드레이크가 아니라 드래곤이라는 사실을 알려 주면 그대로 기절이라도 할 것 같았다.

'어차피 레이가 드래곤 알을 부화시키는 데 성공하면 녀석들도 대충 알게 될 테지만.'

새끼이니 덩치는 별문제 없다고 해도 타고난 특성은 얼버무릴 수가 없다. 요마대전의 세상에서 드래곤은 네 개의 다리와 한 쌍의 날개를 갖지만, 드레이크Drake는 날개가 없는 것이다!

그렇다고 날개가 있는 아종 와이번Wyvern이라고 둘러대기엔 와이번은 앞다리가 없다. 매체에 따라선 드레이크나 와이번이 그냥 덩치가 작고 마력이 달리는 드래곤 격으로 묘사되기도 하던데 어째서 요마대전은 그렇지 않단 말인가!

'그래도 뭐 괜찮겠지……. 이 녀석들은 드래곤도 드레이크도 실제로 본 적이 없으니까!'

참고로 와이번은 이미 본 적이 있다. 3년 전 셰어든을 침공했던 몬스터 군단 중 비행 몬스터의 일익을 담당했으니까. 에반이 괜히 드레이크라고 둘러댄 것이 아니었다.

"괜찮아, 얼버무릴 수 있어. 아마도……."
"뭘 얼버무린다는 거야, 에반 오빠?"

품에 소중히 드래곤 알을 끌어안은 채 에반에게 다가온 세레이나가 순진하게 눈을 깜박이며 물었다.

그냥 그렇게 끌어안고 있는 것만으로 드래곤이 부화할 수 있다면 참 좋을 텐데, 말도 안 되는 생각을 하며 에반은 세레이나의 머리를 쓰다듬어 주었다.

"네가 안고 있는 알 말이야. 부화하면 어떻게 부를지 미리
생각해 두는 게 좋을 거야."
"날개지렁이."
"……날개지렁이?"
"응! 그리고 저번에 만든 친구는 바다지렁이야."

……적어도 이름으로 들킬 일은 없을 듯했다. 에반은 눈을
반짝이며 감상을 기다리는 세레이나에게 말없이 웃어 주며 자
리에 앉았다.

"크흠! 다들 기다리시게 해서 미안하우. 이제 다 됐수!"
"와아아아아아아!"

곧 문이 열리고 주인장이 커다란 트레이와 함께 나타났다.
여러 명이 함께 썰어 먹을 수 있게 큼지막하게 잘라 구운 스
테이크가 놓인 접시가 열 개 정도 되었다.
그 밑의 트레이에는 고기를 굽는 과정에서 나온 육수로 맛
을 낸 스프와 던전산 밀가루로 반죽하여 만든 빵도 준비되어
있었다.

"최선을 다해 요리했으니 다들 맛보시우. 소스로는 저번에

50층에서 가져다주신 약초를 즙을 내어 꿀딸기주에 섞어 봤수. 가니쉬는 던전 고구마로 무스를 내서 던전베리와 실크라인 넛으로 범벅 한 거요. 고기가 달콤한 것과 상성이 잘 맞는 것 같으니 같이 드시는 게 좋을 거요."

"무슨 소리인지는 모르겠지만 어쨌든 맛있게 만들었다는 얘기지?"

"암, 그것만 알아들었으면 된 거지."

에반이 허락하자 주인장도 자리에 앉았다.

주니어조와 시니어조, 명예 단원인 아나스타샤에 견습 미로엘, 전속 대장장이인 오르타와 엘라, 에반의 하녀 디오나와 주인장까지 더해 정확히 스무 명이 한자리에 모였다.

"어라, 그러고 보니 루이즈는 왜 없어?"

어젯밤 통신구를 통해 받은 마지막 보고까지만 해도 별 이상이 없었는데. 에반이 고개를 갸웃하며 묻자 샤인이 어깨를 으쓱이곤 대꾸했다.

"파티원들과 합숙하고 있을 텐데 모르고 계셨습니까?"

"수련에 매진하고 있다는 얘기는 들었는데 합숙하고 있었구나. 오케이, 알았어. 나중에 통신해 볼게."

어쩌면 에반이 셰어든으로 돌아온 것도 아직 모르고 있을 가능성이 있었다. 에반은 내일 이른 시간에 그녀를 불러 파티 원들과 함께 먹을 만큼 드래곤 고기를 챙겨 주자고 다짐하며 고개를 끄덕였다.

하지만 지금은 그것보다 먼저, 자신 몫의 스테이크를 먹을 시간이다.

"좋아, 그러면……."

누가 말을 한 것도 아닌데 테이블에 앉은 이들 전원이 에반을 빤히 바라볼 뿐 포크를 움직이지 않고 있었다.

주위 눈치를 보지 않는 세레이나도 지금은 드래곤 알을 최우선으로 여기고 있어 드래곤 스테이크에는 별 관심이 없는 모양이었다.

"잘 먹겠습니다."

나이프가 고기 속으로 푹 파고들었다. 생전엔 오러도 박히지 않을 만큼 단단했던 살점은 사후 적절한 처리와 마법적인 조리 공정이 가해져 나이프로 부드럽게 잘라 낼 수 있는 수준이 되어 있었다.

"후……."

이게 뭐라고 이렇게 떨린단 말인가. 에반은 반대쪽 손에 든 포크로 적절한 크기로 자른 고깃덩어리를 쿡 찔러 집었다.

겉은 보기 좋게 익고, 속은 아직 선홍빛을 유지하는 미디움 레어. 모든 이의 시선이 그곳에 꽂혔다. 에반은 괜히 군침을 한 번 삼키곤, 입을 열어…… 고기를 씹었다.

그 순간, 그는 우주를 보았다.

"이것이……."

에반은 감격의 눈물을 흘리고 말았다.

"이것이 바로 맛에 순종한다는 건가……!"

눈을 감으니 자연스레 드래곤이 브레스를 내뿜는 모습이 떠올랐다. 거대한 자신의 육신마저 통째로 구워 버릴 것처럼 격렬한 화염의 브레스를!

그래, 드래곤이 브레스를 뿜는 것은 자신의 고기를 불에 구워 먹으면 그만큼 맛있다는 사실을 알려 주기 위해서가 분명하다!

드래곤은 이 한 덩어리의 스테이크가 되기 위해서 다시 이 세상에 부활한 것이다!

그날, 에반을 비롯한 스무 명의 존재는 새로이 태어났다.

단언컨대 그들의 삶은 드래곤 스테이크를 먹기 전과 그 후로 구분할 수 있으리라.

……아, 물론 능력치도 확실하게 상승했다.

❋ ❋ ❋

다음 날 오전, 에반은 훈련장에 단원들을 불러 모아 드래곤 스테이크를 먹고 그들의 능력이 정확히 얼마나 상승했는지를 체크하게 했다. 물론 거기에는 본인도 포함되었다.

'강해진 건 확실한데 얼마나 강해졌는지를 모르니까 말이지……. 이럴 땐 진짜 게임이 그립다니까.'

주니어조부터 차례대로 격투술 기초 훈련. 이어서 주 무기술을 비롯해 마력을 다루는 기술들을 시연하며 어제와 달라진 점들을 확인했다. 그 결과는 굉장히 놀라웠다.

"몸이 가벼워! 이런 적은 처음이야!"
"이제, 아무것도 두렵지 않아!"
"방금 그 말 한 놈들부터 순서대로 대련할 테니까 각오해라."

아티팩트를 동원해 가며 충격량이나 마나량, 기술 수준을 최대한 정밀하게 측정해 본 결과, 과장을 조금도 보태지 않고 최소 신체 스테이터스가 5% 이상, 거기에 더해 주로 다루는 무기술의 경지까지 족히 세 단계 이상 성장했다는 것을 확인할 수 있었던 것이다. 드래곤 스테이크를 섭취한 전원이!

"이런 젠장."

다만 능력의 증가 폭이 대상을 가리지 않고 비율적으로 똑같았던 탓에, 그것을 지켜보며 에반은 비로소 자신이 어제 실수를 저질렀음을 깨달았다.

마냥 능력치가 대폭 향상될 거라고만 생각하고 먹었던 드래곤 스테이크에 '상대적인 수치'라는 함정이 있었음을 깨달은 것이다.

"설마 본인의 스테이터스에 비례해 능력이 증가하는 거였나? 그런 거라면 한참은 뒤에 먹였어야 했는데……!"

"대체 언제까지 기다렸다 먹이려고 그런 말을 하십니까? 지금도 충분합니다, 도련님."

샤인이 그를 달랬지만 에반의 입가에선 낭패감이 떠나질 않았다. 그러나 그때 벨루아가 조심스레 말했다.

"도련님, 어제 섭취한 음식의 기운이 계속 체내에 감도는 것을 느낍니다. 어쩌면 이것은 일시적인 효과가 아닌, 지속 효과가 아닐까요?"

"응? 진짜?"

그 말을 듣고 에반도 바로 눈을 감고 자신의 체내를 관조했다. 그러자 정말로 여태까지는 없던 지극히 뜨거운 기운이 한 줄기, 심장 주위에 머물고 있는 것이 느껴졌다.

평소 워낙 강한 기운이 체내를 휘돌고 있어 미처 느끼지 못했던 것인데, 한 번 인식하고 나니 분명한 존재감을 과시하며 실시간으로 심장의 고동에 맞추어 기운을 전신으로 발산하고 있었다.

"호오……."

"어, 정말이네. 이전 수도에서 유령이한테 썰 때 받은 축복이랑 비슷하면서도 다른 느낌…… 시끄러 인마, 썰 거 맞잖아."

벌써 7년도 더 전에, 수도에서 에반과 샤인, 벨루아, 세레이나 넷이서 엄격하게 정해진 순서와 형식에 따라 정찬을 즐긴 후 한을 해소한 유령 아가씨로부터 받았던 축복이 있다.

그것은 바로 존재 레벨과 모든 스킬의 성장 속도를 10% 추가해 주는 개사기 버프로, 그 힘은 7년이 지난 지금까지도 그들 넷을 든든히 보조해 주고 있었다.

똑같이 게임의 치트키를 전수받았음에도 그들의 성장 속도가 더 빠른 데에는 그 축복 또한 상당한 영향을 끼치고 있었다.

"웃, 그러고 보면 그런 얘기도 했었지."

"얘기를 들은 기억이 납니다. 유령 아가씨와 관련된 일화였지요."

라이한이나 아리샤는 억울할 만하지만, 그땐 라이한을 받아들이기 전이었을뿐더러 아리샤와는 만나기도 전이니 어쩔수 없다.

하지만 지금 중요한 것은 그게 아니다. 심장에서 시작해 전신을 휘돌며 그의 모든 능력을 적잖이 증폭시켜 주는 이 기운······.

"만약 이게 지속적으로 적용되는 축복이라고 치면."

"앞으로 우리가 얻고 성장시키는 능력에도 적용될 수 있다는 얘기죠."

그렇다. '모든 스테이터스의 5% 증가 능력'이 꾸준히 적용되는 것이라면 음식 섭취 타이밍의 효율을 운운하고 있을 때가 아니게 된다.

현재 자신의 능력은 물론, 앞으로 던전 레벨과 존재 레벨을 성장시켜 가며 얻는 스테이터스에 대해서도 이 5%의 증가 능력이 적용되어 그 혜택이 꾸준히 늘어난다는 얘기니까!

"명불허전이구나. 설마 요마대전 공인 개사기 영구 축복 현상을 불러일으킬 줄이야······. 아니, 물론 주인장의 실력이 있었기에 가능했던 일인 것 같지만.”

　요마대전 제로에서도 물론 상당한 능력 증폭 현상을 겪었
지만 단언컨대 그때는 이런 영구 축복을 얻지는 못했다.
　마법 요리에 정진하고 있는 주인장이 혼신의 힘을 다해 만
들어 낸 마법 요리이기에 이런 기적이 일어난 것이다.

　“역시 고기를 가져오길 정말 잘했어……!”

　먹을 때는 워낙 감동하고 있어서 모르고 넘어갔지만 어쩌
면 어제 스테이크를 먹는 순간 보았던 드래곤의 환각은 이 축
복을 상징하는 것일지도 몰랐다.
　그 순간을 떠올리니 에반의 입안에 침이 고였다. 다시 그 스
테이크를 먹고 싶은 마음이 간절했다. 옆에서 마찬가지로 스
읍, 침을 꿀꺽 삼키며 샤인이 에반에게 물었다.

　“한 번 더 먹으면 뭐 없습니까?”
　“무척 안타깝지만 중복 효과는 없으니까 포기해. 영구적으
로 능력을 증가시켜 주는 건 처음 한 번 먹었을 때뿐이니까.”

　일시적인 능력 증가는 몰라도 음식 섭취로 인한 영구 능력
상승효과는 최초 섭취 시에 한해 한 번으로 한정된다. 그것도
일정량 이상을 먹어야만 인정이 되기 때문에 꼼수를 부릴 여

지가 거의 없었다.

"일이 이렇게 되었으니 그 고기는 결국 능력자 양성에 큰
보탬이 된다는 건데……."

"성장하면 할수록 힘이 되어 줄 테니까요. 그렇게 말씀하신
다는 건 역시, 도련님……."

"응."

에반은 드래곤 고기를 수십 킬로그램씩이나 챙겨 오는 순
간부터 다짐하고 있던 계획을 입 밖에 냈다.

"고기는 한정되어 있고 후보는 많지. 철저하게 내 사람이라
고 확신할 수 있는 사람들만 골라서 축복을 주자."

"그렇게 말씀하시니 마치 정말로 도련님께서 축복을 주시
는 것 같네요."

사실 그리 다를 것도 없었다.

드래곤을 사냥하는 데 누구보다 큰 공헌을 한 것이 에반이
요 그 고기를 원석으로부터 찬란한 보석의 영역까지 끌어 올
린 것이 주인장이니, 종교로 비유하자면 에반이 신이고 주인
장은 그의 힘을 인간들에게 전달하는 사제인 셈이었다.

"디오나!"

"네, 공자님."

어스트레이 단원들의 능력 시연이 끝나고 드래곤 고기, 아니 완벽하게 요리된 드래곤 스테이크가 주는 효과에 대한 검증이 완료된 순간 에반은 디오나를 불렀다.

대충 그가 시킬 일을 직감한 디오나는 필기도구를 지참하고 잽싸게 그의 곁으로 다가왔다.

"목록을 작성해야겠죠? 고기를 나눠 주실 목록……."
"역시 눈치가 빨라서 좋다니까. 바로 시작하자. 아, 그리고 당분간 주인장은 출장 요리 하러 다녀야 되니까 형제꼬치 문 닫고 오라고 해."

"과감하게 사람을 부리는 걸 보면 역시 공자님도 귀족이세요."
"다른 사람이 들으면 오해하겠어. 주인장은 내 전속 요리사가 되기로 분명히 나랑 약속했다고."

디오나가 키득거리며 하는 말에 에반은 흥, 코웃음을 치며 대꾸했다.

물론 주인장은 에반을 위해 요리를 하는 것도 아니고 다른 사람들에게 요리를 해 먹이는 것까지 부려 먹는다며 투덜댈 것이 분명했지만 그런 사소한 불만은 무시하기로 했다.

"남은 드래곤 고기는 효과를 볼 수 있는 최소 단위로 끊어 대략 200인분이었지. 200인…… 일단 우리 가족, 버나드 할아버지네, 아이언월 나이츠에 핏빛 사과…….”

사실 마녀들에게 드래곤 스테이크를 제공하는 것은 살짝 망설여졌다. 그들이 고기의 정체를 알아차릴 가능성이 있었기 때문이다.

하지만 그런 사소한 문제를 신경 쓰고 있을 때가 아닌 것도 분명한 사실. 마녀들을 포함한 핏빛 사과 길드원 전원은 에반을 절대 배반할 수 없는 아군이고, 설령 드래곤을 잡았다는 사실을 들켜도 드래곤 하트를 함께 연구하자며 귀찮게 구는 선에서 끝날 것이다.

그렇게 귀찮아지는 게 싫어서 숨기려고 했던 것이지만 그들의 전력을 상승시키는 것에 비교하면 한없이 가벼운 대가였다.

“아, 아이언월 나이츠 전원에게 지급하기는 힘들겠어. 단장을 포함한 상위 30%로 추리자.”

“알겠습니다. 그리고요?”

“우리에게 전폭적으로 협력해 주고 있는 대형 길드에도 조금씩은 뿌려야지. 대신 이미 두 번 이상 던전 도시를 위해 희생한 기록이 있는 길드 중에서, 대표자 소수만을 뽑아 제공할 거야. 엘로아 같은 사람 말이지.”

“네, 알겠습니다. 대충 어떻게 추려야 할지 알 것 같네요.”

“그와 함께 미끼도 조금 뿌리는 게 좋겠어. 나한테 잘하면 앞으로 또 이런 기회가 찾아올 수도 있다는 식으로. 그러면 지급받지 못한 이들도 자극할 수 있겠지."

드래곤 고기가 주는 힘은 던전 도시를 대표하는 대형 길드의 멤버쯤 되면 누구나가 뚜렷이 알아차릴 수 있을 정도로 강렬하다.

세상엔 사람의 능력을 영구적으로 늘려 주는 음식이 거의 없지만 그중 대중적으로 알려진 게 있다면 바로 엘릭시르와 같은 포션인데, 그것을 만들어 낼 수 있는 이는 에반과 같은 고위 연금술사뿐.

에반이 지급한 것이 드래곤 고기라는 사실을 알지 못하는 사람들은 그것을 그가 만들어 낸 비약과 같은 것으로 취급할 터였다. 그리고 조금이라도 머리가 돌아간다면 에반이 다시 그런 귀물을 만들어 낼 가능성을 위해 그에게 보다 적극적으로 투자할 수밖에 없으리라.

물론 에반이 만든 것이 아니라 드래곤 고기를 요리했을 뿐이지만 말이다!

"그리고 또…… 알았어요, 형. 세르피나 누나랑 한나 누나는 믿을 수 있으니까. 그렇게 처량한 눈으로 안 봐도 줄 거예요."

"감사드립니다, 공자님!"

안 그래도 그 둘에게는 에반이 나서서 주려고 했다. 세르피나는 말할 것도 없이 앞으로 던전 도시에서 가장 중요한 신전 측 인물이 될 여자고, 한나는 명색이 에반과 함께 버나드를 스승으로 모시는 사형제 관계가 아닌가.

라이한은 쓸데없는 걱정을 하고 있었던 것이다. 막말로 그 둘에게 주지 않을 것이라면 디오나에게도 안 줬다.

"챙겨야 할 사람이 또 누구 있지? 아, 그래. 장인어른 장모님 챙겨 드려야지. 펠라티로 3인분…… 아니, 그쪽 던전 기사단을 생각하면 10인분 정도."

"하지 마, 에반."

친인척 관계를 따지다 보니 자연스레 그쪽으로 생각이 흘러갔는데, 아리샤가 대뜸 고개를 저었다.

"아버지도 어머니도 그리 개인의 무력에 의존하는 분이 아냐. 얼간이 같은 오빠는 챙겨 줄 필요도 없고, 펠라티 던전 기사단은 애초에 셰어든의 전력이 아니잖아. 난 이제 셰어든 사람이니까 괜히 그쪽에 신경 써 줄 필요 없어."

"……."

확실히 아리샤의 말에도 일리가 있다면 있다. 하지만 에반은 단호히 그녀의 말을 부정했다.

"아리샤, 단순히 효율로만 따지면 우리 부모님한테도 드리지 말아야 해. 그렇게 할까?"

"으, 응? 아니, 하지만 그분들은 에반의 부모님이시고 셰어든의 책임자이기도⋯⋯."

"너희 부모님도 이젠 내 부모님이나 마찬가지야. 더구나 언제든 셰어든을 도와줄 동맹이기도 하고. 그래서 드리려는 거야."

"에반⋯⋯."

물론 아리샤도 그런 이치를 모르는 것은 아니다.

다만 효율적인 성장 이론과 자원 분배에 집착하는 에반이 귀중한 드래곤 고기의 일부를 자신이 완벽히 통제하지 못하는 셰어든 외부로 방출한다는 것이 신경 쓰였을 뿐.

그런데 에반이 저렇듯 단호히 자신의 성미에 반하는 결론을 내린 것이다. 하다못해 아이언월 나이츠의 다른 기사에게 투자한다면 조금이라도 도시의 전력이 오를 텐데, 그것을 포기하다니.

"⋯⋯고마워, 에반."

"약혼자인데 이 정도는 해야지."

"후, 흐흣."

효율적이지 못하다는 것을 알고 있어도, 몸에 좋은 것을―진정한 의미에서 몸에 좋은 보약이기는 했다―부모님께 챙겨 드릴 수 있다니 자식 된 입장에서는 기분이 나쁠 리가 없었다.

그것은 에반과 자신의 관계가 양호하다는 것을 자연스럽게 알리는 계기 또한 되어 줄 터였다. 뭣보다 자신이 아니라 에반이 먼저 스스럼없이 이런 결심을 내려 줬다는 것이 고마웠다.

'어떡하지, 지금 당장 에반에게 키스하고 싶어.'

에반을 향한 감사와 애정이 보기 좋게 뭉쳐 아리샤의 마음 속에 뭉게뭉게 피어올랐다.

하지만 마음 가는 대로 행동해서야 에반에게 포상을 주는 게 아니라 자신이 받는 셈이 된다. 결국 그녀는 답지 않게 볼을 붉힌 채 머뭇거릴 뿐이었다.

그 모습이 무척 귀여웠지만 점점 주위 시선이 따가워지고 있었으므로 에반은 아리샤와 꽁냥대는 것은 조금 뒤로 미루기로 하며 돌아섰다.

"크흠, 그런 의미에서…… 미안, 레이. 왕가는 못 챙겨 줄 것 같아. 그쪽은 구멍이 너무 많아. 괜한 위험 요소를 만들고 싶지 않아."

"이해해, 오빠. 난 오빠가 나만 챙겨 주면 그걸로 만족해."

세레이나가 그 말을 기다리고 있었다는 듯이 고개를 끄덕였다. 오늘도 그녀의 품에는 드래곤 알이 안겨 있었다. 기분 탓인지 조금 커진 것 같기도 했다.

"더구나…… 오빠 말마따나 언제든 셰어든을 도우러 와 줄 펠라티와는 달리 실크라인 왕가는 여기 잘 안 오려고 하니까."

"그것까지 생각하고 있었구나."

세레이나의 예리한 지적에 에반은 그저 쓴웃음을 흘릴 수밖에 없었다.

그녀의 말이 맞다. 에반이라고 아무 생각도 없이 그냥 약혼녀 가족이라고 펠라티를 챙겨 주는 것이 아니었다. 아까 스스로도 말했던 '펠라티는 언제든 셰어든을 도와줄 동맹'이라는 말은 빈말이 아니었던 것이다.

셰어든과 펠라티의 공조 관계는 상상 이상으로 끈끈하다. 당장 펠라티에서 원조 요청이 들어온다면 소라인 후작은 버선발로 달려갈 사람이고, 그 반대 경우도 마찬가지였다.

그러니 두 도시의 힘을 합쳐야 할 상황을 대비해 펠라티의 주요 인물들에게 투자를 해 두는 것은 그리 미련한 짓이라고 볼 수가 없는 것이다.

'하지만 왕가는 조금 다르지.'

에반과 아리샤의 약혼이 정치적 이유보다는 부모의 양호한 관계에서 출발했다면, 에반과 세레이나의 약혼은 둘의 감정을 제외한다면 어떻게든 셰어든을, 에반을 억제하고 싶어 하는 실크라인 왕가의 욕심에서 출발한 것.

실크라인 왕가는 독자적으로 엄청난 무력을 보유하고 있는 셰어든을 경계하고 있다.

조금 잔혹한 일이지만, 만약 셰어든에 안 좋은 일이 생긴다고 해도 원조를 해 주기는커녕 그것을 셰어든의 전력을 깎아낼 찬스라고 여겨 방치할 확률이 높았다. 그것이 지금 실크라인 왕가와 던전 도시 셰어든의 관계였다.

"난 에반 오빠가 큰오빠한테 여러 가지 알려 준 것만 해도 지나쳤다고 생각해. 앞으로도 왕가는 번거롭게 신경 쓰지 마, 오빠. 나한테만 집중해 줘."

아무래도 그녀는 아직도 자신의 친정이 에반에게 정신적으로 스트레스를 줄까 걱정되는 모양이었다. 에반은 픽 웃으며 녀석의 머리를 부드럽게 쓰다듬어 주었다.

"번거롭지 않으니까 마음 쓸 필요 없어. 네가 내 편인 걸 확실히 알고 있으니까."

"응, 나도 셰어든의 사람이니까."

세레이나는 그 말을 하며 지그시 아리샤를 바라보았다. 아리샤가 말했던 '셰어든 사람'이라는 말에 드는 생각이 있었던 모양.

두 여자는 곧장 눈싸움에 돌입했다. 에반은 두 사람의 사이가 좋아 다행이라고 생각했다. 현실도피였다.

"자, 그래도 고기가 조금 남을 것 같은데."

"여유가 있어요, 공자님. 장기 보관이 가능하다면 천천히 생각해 보셔도 될 것 같은데요?"

"그렇지. 하지만 줘야 할 사람들이 더…….""

에반이 말을 이으려던 때, 위에서 문이 열리는 소리가 났다. 하녀가 응대하는지 작게 대화 소리가 들리더니 곧 위로 올라가는 계단을 타고 내려오는 루이즈의 모습이 보였다.

"스승님!"

"양반은 못 되나 보네."

에반의 모습을 발견하곤 주인을 찾은 강아지처럼 달려오는 루이즈의 모습에 그는 절로 웃음을 짓고 말았다.

드래곤 스테이크를 먹고 놀랄 루이즈 파티의 모습을 떠올리니 더욱 유쾌해졌다.

에반의 서브 파티 육성 계획은 나날이 완벽해져 가고 있었다.

✦✦✦

에반이 셰어든을 떠나 있었던 나흘간, 루이즈 파티는 합숙 훈련에 매진했다. 개인 무기술 숙련뿐만이 아니라 파티 단위로 적을 상대하는 파티 전술 훈련 또한 실시했다.

"후우, 이 정도면 다시 던전에 들어가도 처음처럼 헛손질은 안 하고 끝날 것 같네요."

약속된 합숙 마지막 날의 아침, 새벽같이 일어나 마지막으로 호흡을 맞춰 본 후 만족한 기색으로 르나일이 말했다.

그러나 루이즈는 한쪽에 놔두었던 수건으로 이마의 땀을 닦아 내며 단호히 고개를 저었다.

"훈련이 만능은 아냐, 르나일. 지금 우리는 이미 했던 실수를 반복하지 않기 위해 훈련하고 있을 뿐, 새로운 환경에 처하면 다시 처음부터 적응한다고 생각해야 해. 지금처럼 자만하다간 더 험한 꼴을 당할 거야."

"윽, 넵. 알겠습니다!"

이 파티 활동이 어스트레이 입단을 위한 테스트라고 굳게 믿고 있는 르나일이니만큼 사과하는 것도 빨랐다. 다만 적절한 반성이 곁들여졌는가는 알 수 없다.

루이즈는 아직 갈 길이 멀겠다고 생각하며 시선을 다른 쪽으로 옮겼다. 그곳에는 찬물에 적신 수건으로 담담히 얼굴을 닦아 내고 있는 세이브의 모습이 있었다.

'이쪽은 침착해 보이네. 이건 이것 나름 마음에 안 들지만……'

어린 나이 탓에 종종 까불대는 기색을 보이는 르나일과는 반대로 세이브는 큰 사명을 짊어진 용사라도 되는 듯이 굴었다.
실제로 놀라운 잠재력을 갖고 있는 데다 열심히 노력하고 있기까지 하니 파티원으로서는 완벽하다고 봐야겠지만, 에반을 신앙의 대상으로 삼으려 드는 것과 더불어 스스로 선택받은 존재라도 되는 것처럼 행동하는 것이 솔직히 조금 눈꼴시었다.

"쉬고 있어. 난 잠시 어스트레이 본부에 다녀올 테니까. 스승님께서 원정에서 돌아오셨거든."
"알겠습니다!"
"기다리고 있겠습니다."

에반의 얘기가 나오자 당장에 둘의 태도가 달라졌다. 초롱초롱하게 빛나는 눈만 보면 사람이 아예 달라진 것처럼 보였다.
르나일은 자신도 따라가고 싶다는 눈빛을 노골적으로 보내

왔지만 루이즈는 그것을 못 본 체하며 떠나갔다. 출발하기 전 땀을 말끔히 닦아 내고 옷차림을 정돈한 것은 물론이었다.

"후, 정말 단장님 한번 만나기 어렵네."

르나일은 루이즈의 뒷모습이 완전히 보이지 않게 될 때까지 가만히 보고 있다가는 그녀의 기척이 사라지자마자 한숨을 내쉬며 투덜거렸다.

그녀는 주체할 수 없는 야망을 품은 다른 많은 사람들이 흔히 그러하듯 자신이 에반을 한번 만나기만 하면 바로 어스트레이에 입단할 수 있게 되리라 착각하고 있었다.

"바보 같으니, 그분이 일개 범인에 불과한 널 만나 주실 리 없잖아."

"흥, 너도 안 만나 주시잖아. 너도 나처럼 일개 범인이라고."

세이브가 담담히 그녀를 매도하자 르나일은 얼굴을 붉히며 대꾸했다. 그러나 세이브는 그 말을 기다리고 있었다는 듯이 여유롭게 웃었다.

"난 언제나 그분의 뜻을 전해 듣고 있으니 굳이 직접 뵙지 않아도 돼."

"진짜 너도 컨셉 한 번 대단하다⋯⋯. 에휴, 됐어. 떡 줄 사람은 생각도 없는데 너랑 둘이 이런 얘기를 하고 있는 것도 덧없어."

"우린 지금도 그분의 인도를 받고 있는데 대체 뭐가 불만인 거야. 현실을 직시해, 르나일. 우린 지금 던전 도시의 그 누구보다도 그분께 가까워."

세이브로선 그저 르나일이 안쓰러울 따름이었다.

그도 그럴 것이, 눈을 감으면 지금도 바로 느낄 수 있었던 것이다. 형언할 수 없는 거대한 존재로부터 흘러나와 자신을 감싸는 힘…… 그 압도적인 따스함이!

자신의 기운을 북돋고, 보다 빠르고 강하게 자라나도록 영양분을 주는 그의 존재감이야말로 세이브의 끝없는 자신감의 원천이었다.

"진짜 또 영문 모를 소리만 하구……."

이런 이상한 소리를 하는 놈만 아니었으면 그래도 제법 괜찮았을 텐데, 하고 속으로만 중얼거리며 르나일이 한숨을 내쉬었다.

세이브의 외견은 나쁘지 않다. 어디 한 군데 모나지 않게 잘생긴 편이고, 특히 진한 올리브빛 눈동자에는 사람의 시선을 잡아당기는 매력이 있었다. 가만히 있어도 알아서 여자가 꼬이는 상이다.

'그런데 시도 때도 없이 헛소리를 하니까 말이지.'

살아 있는 사람을 신으로 섬기며 헛소리를 늘어놓는 놈이랑은 죽어도 사귈 수 없다. 르나일은 그렇게 또 김칫국만 마시고 있었다.

"모르는 거냐?"
"응, 모르겠어."
"그래도 명색이 마법사를 자칭하는 네가 모를 줄은. 아니, 어쩌면 믿음이 약해서 아직 축복을 받지 못하는 것일지도……쓥, 그래도 파티원이니까 도와줄게."

세이브가 한숨을 쉬며 르나일에게로 손을 뻗었다. 화들짝 놀란 그녀가 그의 손을 피하려 했지만 세이브는 대담하게 그녀의 손을 붙들었다.

"뭐, 뭐야. 갑자기 이래도 난감하거든? 진짜 싫거든, 아니 완전 싫은 건 아닌데 그래도 순서라는 게…….."
"조용히 하고 가만히 느껴 봐."
"느, 느껴?"

세이브는 르나일의 쉰 소리를 무시하며 자신의 기세를 천천히 방출했다. 그러자 놀랍게도 그의 손끝으로부터 옅은 보랏빛의 기운이 안개처럼 피어나기 시작했다.

당연하지만 그것은 마력이 아니다.

직업을 얻은 그 순간부터 자신이 늘 느끼고 있는, 그분으로부터 시작되어 자신을 감싸는 흐름의 힘이다!

[액티브 스킬, 블레스 오러 Lv1을 익혔습니다.]

[평소 자신에게 적용되는 모든 패시브 버프의 힘을 겉으로 활성화한다. 짧은 시간 동안 모든 능력을 급격히 끌어 올리지만, 반동으로 블레스 오러를 활성화한 시간의 10배에 달하는 시간 동안 자신에게 적용되던 모든 버프가 무력화된다.]

[액티브 스킬 믿음의 일격과 동시에 구사할 경우, 믿음의 일격의 위력을 크게 증폭시킨다.]

'음.'

단지 자신에게 주어진 축복을 르나일도 조금이나마 느낄 수 있게 해 주고 싶었을 뿐인데 이런 효과를 낳을 줄이야. 세이브조차 순간 놀라 움찔하고 말았다.

패시브 버프의 힘을 짧은 시간 동안 액티브 공격 보조 능력으로 바꾸는 스킬, 블레스 오러.

페널티가 존재한다는 점에서 보면 일장일단이 있는 스킬이었지만, 자신의 신체를 북돋고 성장을 촉진시키던 그분의 축복을 눈에 보이는 형태로 바꾸어 낼 수 있다는 것만은 무척 마음에 들었다.

  '이것도 모두 그분의 인도겠지. 감사드립니다. 저는 앞으로
도 당신의 말씀을 따를 것입니다.'

  세이브는 옅은 보랏빛을 띠는 오러를 몇 초간 더 뿜어낸 후
수렴하고는 에반에게 감사의 기도를 올렸다.
  에반이 들으면 그게 대체 뭐냐고 놀라 소리치겠지만 다행
히 그는 아직 이 근본 없는 스킬의 탄생을 예측조차 하지 못
하고 있었다.
  실시간으로 보고되는 루이즈의 감시 체계가 적용되지 않고
있었기 때문이다.

  "너, 너 이거."
  "확실하게 느꼈겠지?"
  "말도 안 돼……."

  르나일이 아연해져 중얼거렸다. 그녀 역시 마도를 다루는
몸으로서 온갖 종류의 마력에 능통하고 있었지만 방금과 같
은 힘은 맹세컨대 본 적이 없었다.
  아니, 그리고 보면 이전 셰어든 던전 5층에서 보스 몬스터
를 잡을 때 마지막 순간에 얼핏 보았던 것도 같은데…….

"신성력이야!? 아니, 그럴 리가 없잖아. 실제로 내가 알고 있는 신성력과는 조금 다르게 느껴지기도 하고……."

"그분께서 내려 주신 힘이야. 이 힘의 근원이 내가 아니라는 것 정도는 너도 눈치채고 있지?"

"아니 잠깐만……."

르나일은 상태이상 혼란에 빠졌다! 세이브는 그럴 줄 알았다는 듯이 차분한 태도로 그녀가 진정하기를 기다렸다.

"아니, 뭔가 특수한 스킬이었겠지. 마력의 특수 가공은 어렵지만 불가능한 일도 아니잖아? 네가 얻은 직업의 영향으로 변질된 마나일 거야. 그게 분명해."

어떻게든 제정신을 되찾은 르나일은 일단 현실을 부정했다. 미친놈 취급하던 세이브에 대한 태도를 바로 그렇게 바꿀 수 없었기 때문이다.

하지만 그녀의 마음속에 '혹시 정말이라면……?'이라는 한 줄기 의혹이 자리 잡는 것만은 어쩔 수가 없었다. 세이브 또한 그것으로 만족한 기색이었다.

"그래, 뭐 조만간 알게 될 거야. 그때가 되면 다시 진지하게 얘기를 해 보자. 그분께서 인세에 강림한 목적에 대해, 그리고 우릴 지켜보고 계시는 이유에 대해……."

"아니, 싫어. 안 할 거야."

르나일이 겁먹은 갓난아기처럼 마냥 고개를 흔들었다. 충격적인 진리를 목도하고 살짝 정신이 나간 것이겠지.

하지만 괜찮다. 곧 모두 받아들이고 편해질 수 있을 테니까. 세이브는 여전히 인자한 미소를 짓고 있었다.

―벌컥.

"얘들아, 나 돌아왔어. 너희 아침 먹었니?"

마침 그때 루이즈가 여관으로 돌아왔다. 아까 나가던 때에 비하면 눈에 띄게 밝아진 얼굴 표정.

르나일은 그것을 보며 솔직하게 질투했다. 누구는 아침부터 사이비 광신도에게 시달렸는데 누구는 에반 같은 천하의 미남과 좋은 시간을 보내고 오다니……

"아뇨, 아직 안 먹었어요. 언니. 우리 같이 먹어요!"

하지만 물론 그런 속내를 겉으로 드러내지는 않았다.

언젠가 에반과 직접 만나게 된다면 단숨에 지금의 이 상하 관계를 역전시키리라! 에반에게 총애를 받는 것은 누구도 아닌 내가 될 것이다!

"그래, 잘됐다. 스승님께서 같이 먹으라고 포장해 주신 것
이 있거든."

"와아, 에반 단장님 최고!"

"일단 방으로 올라가자."

여관 1층 식당에서는 외부 음식을 먹는 것이 금지되어 있
다. 루이즈는 변함없이 딸랑거리는 르나일과 묵묵히 자신을
바라보는 세이브를 데리고 2층의 숙소 안으로 들어섰다.

"자, 그럼…… 귀한 재료로 만드신 거라고 하니까 다들 감
사히 먹도록."

"알겠습니다!"

루이즈가 꺼낸 바구니 안에는 빽빽이 샌드위치가 들어 있
었다. 안에 스테이크와 치즈를 넣고 빵째로 그릴에 눌러 구워
보기 좋게 그릴 자국이 새겨져 있는 핫 샌드위치!

샌드위치 주제에 너무나 훌륭한 냄새를 풍기고 있었기에
르나일도 본능적으로 손을 뻗어 샌드위치 하나를 집었다. 루
이즈도 감탄사를 흘리며 빵을 집었고, 세이브는…….

[드래곤 스테이크 핫 샌드]

[완성도 - SS]

[레드 드래곤의 고기를 최고 수준의 마법 요리사가 조리하

여 샌드위치로 만들어 낸 것. 섭취 시 붉은 드래곤의 숨결 버프가 영구적으로 적용됩니다.]

[붉은 드래곤의 숨결 - 모든 스테이터스 5% 증가, 직업 스킬과 주 무기술에 보정]

[*에반 디 셰어든이 하사한 귀물입니다. 직업의 영향으로 버프의 효과가 두 배로 증폭됩니다.]

세이브는, 한 줄기 눈물을 흘렸다.

"크흑……."

"뭐, 뭐야. 세이브 왜 그래!"

"세이브!? 괜찮아!?"

두 여성이 샌드위치를 먹으려다 말고 기겁해 외쳤다. 그러나 세이브는 여전히 눈물을 뚝뚝 흘리면서도 절레절레 고개를 저었다.

"그저 감격했을 뿐입니다……! 설마 그분께서 이렇게나 우리를 생각해 주셨을 줄은!"

"아니, 이거 그냥 샌드위치잖아!?"

"으음, 스승님께서 귀한 거라고 강조하기는 하셨지만……."

차마 이 샌드위치 안에 들어간 고기가 드래곤의 것이라고는 짐작조차 하지 못하는 르나일과 루이즈는 지극히 당황했지만 세이브는 재차 고개를 젓곤 샌드위치를 집었다.

"그분의 은총, 감사히 받아 모시겠나이다."
"또 이상한 소리를…… 읏!?"

경건히 집어 든 샌드위치를 단숨에 해치운 그 순간, 세이브에게서 보랏빛의 기운이 솟구쳤다.

[붉은 드래곤의 홍염숨결 버프를 받았습니다. 모든 스테이터스가 10% 증가하며 직업과 관련된 모든 스킬에 크게 보정을 받습니다.]
[모든 스킬의 레벨이 2 올랐습니다. 믿음의 일격 스킬의 레벨이 추가로 3 상승합니다.]
[블레스 오러 스킬의 레벨이 4 올랐습니다.]

에반을 비롯해 다른 모든 이가 받은 버프보다 압도적으로 강화된 버프가 세이브에게 적용되었다.
더구나 블레스 오러 스킬을 구사해 이 버프의 힘을 곁으로 끌어낼 수 있기까지 했으니, 조금 과장해 말한다면 이 순간 세이브의 전력이 50% 이상 올랐다고 말할 수 있었다.

"너, 너……."

"후…… 느꼈어?"

다만 평소였다면 세이브만 혼자 감격하고 끝났을 것을, 이번엔 조금 달랐다.

르나일은 아까 세이브가 뿜어냈던 힘을 기억하고 있었기 때문이다. 그것이 지금 이 순간 크게 증폭되었다는 것까지도!

"먹어, 르나일."

세이브가 올리브색 눈동자에 힘을 주어 르나일을 바라보며, 부드러운 목소리로 말했다.

"너도 알게 될 거야."
"……."

르나일이 제 손에 들린 샌드위치를 부들부들 떨리는 눈동자로 내려다보았다. 진리의 빨간 약을 눈앞에 둔 네오가 이러했을까 싶은 표정이었다.

"……얘들아?"

그 상황을 이해할 수 없었던 루이즈가 고개를 갸웃하며 둘을 불렀지만 물론 그들은 반응하지 않았다. 이것은 신성한 세

례의 의식이었기 때문이다.

"알겠어…… 먹으면 될 거 아냐."

르나일이 눈을 질끈 감았다. 머릿속이 너무 복잡했다.
하지만 단단히 각오를 다진 후 스테이크 샌드위치를 베어
물자…….
그 모든 혼란은 사라지고, 곧 아늑한 평화가 그녀를 찾아
왔다.

❀ ❀ ❀

에반이 버나드와 함께 수일에 걸쳐 드래곤의 피를 연구한
결과, 어찌어찌 드래곤의 부산물을 활용해 제 성능을 낼 수 있
는 방법의 윤곽이 보이기 시작했다.
보다 정확히는 본래 가공할 수 없는 드래곤의 부산물을 가
공할 수 있게 하고, 완성된 물건을 대상으로 드래곤의 힘을 활
성화하는 것이다.

"정말 신기한 재료네요. 옷을 제작하는 데 따로 마법 시약
까지 필요하다니!"

비늘을 떼어 내고 드래곤의 피로 정제한 시약에 담가 1차

적인 가공이 끝난 드래곤의 가죽을 받아 들며 형제 부티크의 메인 디자이너 오트파가 무척이나 신기해하는 목소리로 말했다.

그러나 그녀에게 가죽의 정체를 알려 줄 수도 없는 노릇, 에반이 작게 웃으며 얼버무렸다.

"특별한 몬스터거든요. 어쨌든 이걸로 우리 기사단 전용 망토를 만들고 싶은데 가능할까요?"

망토. 직업을 불문하고 어떤 이가 걸쳐도 어울리며, 바람과 먼지를 막고 옷과 피부를 보호하는 등 실용적인 의미에서도 훌륭하다.

통일된 디자인의 망토는 어스트레이의 소속감을 더해 주는 요소가 될 것이다.

"가죽이 이렇게나 많은데 얼마든지 가능하죠! 대신 손질을 좀 많이 해야겠어요."

"전투에 방해가 되지 않게 할 수 있겠죠? 물론 후드도 다는 게 좋겠고."

"소재가 지닌 마력에 따라 조금 달라지기는 하지만…… 이 정도라면 얼마든지 가능할 것 같네요! 그런데 대체 어떤 몬스터의 가죽인 거죠?"

"하하. 그냥 제법 센 놈이었어요."

에반은 오트파와 함께 그 자리에서 어스트레이 기사단 전용 망토를 디자인했다.

망토 본연의 기능에 충실하면서도 전투 시에는 부피를 원하는 만큼 줄여 방해가 되지 않게 하고, 또 유사시에는 특정 부분을 경화시켜 적의 공격을 막아 내기까지 하는 만능 망토!

"저어, 에반 공자님. 아무리 마법 의상에 여러 가지 기능이 담긴다고 하지만 이런 기능이 실현된다면 그것은 이미 아티팩트라고 부를 수 있지 않을까요?"

"그렇게 되면 재밌겠네요. 일단은 잘 부탁드려요. 혹시 마력 담을 보석 필요하면 말씀해 주시고요. 얼마든지 제공할 수 있으니까."

"……공자님, 이 가죽 대체."

"하하하하."

에반의 노골적인 얼버무리기에 오트파는 더 이상 캐묻지 못했다. 그녀는 아직 에반이 해상 파티에서 보인 신위를 잊지 않고 있었다.

그가 이 지상에서 잡지 못할 몬스터가 대체 뭐가 있을 것인가! 전설 속에 나오는 드래곤이 아니고서야 그의 앞길을 막지 못하리라.

"아무튼 이렇게 완벽하게 손질이 된 가죽으로 작업을 할 수 있게 된 건 영광입니다. 정말로 아티팩트를 탄생시킬 기세로 작업해 보죠!"

"네, 부탁해요."

그래야 할 것이다. 레드 드래곤 망토(임시)는 에반의 귀중하고 귀중한 아티팩트 착용 제한을 채우는 마지막 하나의 아티팩트가 될 테니까.

에반이 이 망토에 바라는 것은 오직 단 한 가지, 방어력! 이 망토 하나면 더 이상 방어력은 걱정할 필요가 없을 만큼 압도적인 방어력이었다!

"마담, 혹시 그 망토, 검은색으로 염색 안 됩니까?"

"야, 기사단 복장으로 통일할 거라고, 통일."

'원래는 이럴 예정이 아니었는데.'

오트파에게 작업을 맡기고 샤인과 함께 부티크를 나서며, 에반은 새삼스레 지금 자신이 착용하고 있는 아티팩트들을 돌아보았다.

우선 그가 능동적으로 취한 첫 번째의 아티팩트, 므이라슬의 목걸이.

막연히 슬라임 수련을 위해 후작을 졸라 얻어 낸 것이지만 의외로 마나량 증가와 마나 회복 속도 증가라는 훌륭한 옵션이 첨

부되어 있었고, 설상가상으로 10년 가깝게 슬라임을 잡아 대며 아티팩트 성능을 증가시킨 결과 지금에 이르러선 에반이 아는 그 어떤 아티팩트보다도 압도적인 마나량과 마나 회복 속도 증폭을 자랑하는 괴물 같은 아티팩트가 되어 있었다.

에반 본인의 마나량도 무시무시하기 때문에, 에반은 어느 순간부터 마나 고갈이라는 현상을 겪은 적이 없었다.

그다음으로는 마나 회복 속도를 증가시켜 주는 설산정령 귀걸이가 있다.

요마대전 시리즈에서는 이 귀걸이나 화산정령 귀걸이를 얻는 순간 최종 장비로 확정이 될 만큼 출중한 마나 보조 능력을 갖춘 귀걸이인데, 솔직히 말하면 므이라슬의 목걸이 쪽이 너무 압도적이어서 지금에 이르러선 거의 의미가 없는 장비였다. 에반은 만약 좋은 아티팩트를 얻게 되는 날이 오면 바로 이것과 교체하려는 생각을 갖고 있었다.

세 번째는 바로 자신의 힘에 비례해 추가적인 힘을 부여해 주는 장갑 형태의 아티팩트, 검은 구름.

이것도 마찬가지로 슬라임 수련 때문에 얻었던 것인데, 에반의 힘이 늘어날수록 아티팩트가 부여해 주는 힘도 증가할 뿐더러 끝내는 신들로부터 '제라'의 룬을 얻어 체력과 마력, 스태미나의 회복 속도가 증가하는 옵션까지 붙는 바람에 도저히 버릴 수가 없게 되었다.

격투술을 펼치는 자신에게 있어서는 더할 나위 없이 어울리는 아티팩트이기도 한 만큼 이것을 떼어 놓는 일은 없으리라. 에반이 구사하는 무기가 있다고 하면 바로 이 아티팩트라고 할 수 있었다.

'그나마 여기까지는 원래 내가 의도했던 것들이지만…….'

네 번째 아티팩트, 마기가 깃든 부츠.

정식 명칭은 '마신의 축복'인데, 마기 내성을 수련할 겸 부츠가 주는 전신 방어력을 확보하기 위해 얻었는데 여차저차하다 보니 여기에 마기가 무지막지하게 추가되고, 이러쿵저러쿵한 끝에 데빌 룬까지 깃드는 바람에 이것도 게임 내에선 전례를 찾아볼 수가 없을 만큼 흉악한 최종 장비가 되었다.

현재 에반이 갖고 있는 아티팩트 중에서도 수위를 다투는 괴악한 성능을 갖춘 아티팩트로, 에반의 의지에 따라 마기를 조종할 수 있는 만큼 스테이터스 저하도 무시할 수 있고, 부츠에 있는 전신 방어력은 그대로 적용받을 수 있으며, 원하는 때엔 부츠의 마기를 해방해 전신의 능력을 끌어 올릴 수 있는 아티팩트가 되었다.

만약 게이머들이 이 아이템을 보았더라면 치트, 버그템이라며 광분해 날뛰었을 만큼 말도 안 되는 성능. 물론 진짜로 그런 말을 하는 새끼가 있다면 부츠를 처음부터 신겨서 몇 년간 고생을 해 보라는 말을 해 주고 싶었다.

마지막 다섯 번째 아티팩트는 바로 로즈로부터 받은 장미 넝쿨 반지.

방어막 기능과 마나 증폭 기능만 해도 최종 장비에 어울리는 수준인데 그보다 더한 것이 있으니 바로 마족 특공 효과. 이 반지를 착용한 것만으로 마족을 대상으로 치명적인 데미지를 줄 수 있게 되는 것이다!

요마대전이라는 게임의 특징상 후반부로 갈수록 마족과 상대하는 일이 많고 최종 보스는 무조건 마족 계열인 만큼 만약 게임에 이 반지가 나왔으면 마신의 축복보다도 더한 반향을 불러일으켰을 것이다.

'혼원계가 다시 열리게 생긴 지금도 여전히 유효하지. 마기를 지니고 있는 것은 비단 요마왕뿐만이 아니니까. 특공의 범위가 어디까지인지는 로즈에게 보다 확실히 확인을 해 봐야겠지만.'

만약 요마왕, 나아가 마신을 상대로도 이 특공이 통한다고 하면 정말 이 반지의 사기성을…… 아니, 마신하고 직접 싸울 일은 없을 테니까 괜찮을 것이다. 절대로 마신과 싸우는 일은 없을 것이다. 그렇게 믿고 싶었다.

"아무튼 설산정령 귀걸이를 제외하면 뺄 만한 게 하나도 없어. 정말이지 저 망토에 모든 것을 거는 수밖에……."

"방어관통 아티팩트로 도배하겠다고 하신 적이 있었던 것 같은데."

"정말 좋은 방관옵이 붙은 아티팩트 하나를 구해서 설산정령 귀걸이를 빼고 넣는 수밖에 없지."

샤인의 말에 에반은 어깨를 으쓱이며 대꾸했다. 다만 한 가지 비관적인 사실이 있다면 방어관통 옵션이 붙은 아티팩트는 구하기가 지극히 어렵다는 것이다.

던전의 70층을 넘어가서야 아주 가끔씩 드롭되는 수준으로, 그 정도도 짜잘한 경우가 많다. 물론 성능이 좋은 것도 없는 건 아니지만 성능이 좋아질수록 입수 난이도는 끔찍해진다.

방어관통 아티팩트 중에서도 가장 사기성이 높은 아티팩트, 무려 방어관통 40%를 자랑하는 아티팩트가 있는데, 그것은 요마왕을 죽인 후 DLC에만 나오는 히든 보스까지 잡아야 간신히 얻을 수 있었다. 그것도 확률적으로!

'요마왕을 죽이는 게 필수 선행 조건이라서 지금 당장은 얻을 방도도 없고. 후, 역시 메르딘을 어떻게든 해야 해.'

요마왕을 죽이기 위해선, 당연하지만 일단 한 번 요마왕을 살려야만 한다.

놈은 인간계에서 죽인다고 제대로 죽지도 않고 마계에서 영생하며 부하들을 통해 인간계에 수작을 걸지만, 그래도 최종 보스인 만큼 마지막에는 인간계로 소환되어 주인공과 배틀을 벌이는 것이 모든 시리즈의 공통 사항이었다.

　그리고 요마왕 부활 이벤트는 셰어든과 펠라티, 메르딘에서 모두 특정 조건을 맞춰야만 발생하기 때문에 요마왕을 원하는 시기에 부활시켜 잡기 위해선 메르딘을 해방시키는 것이 '필수'였다.

"도련님, 표정이 아득해지셨습니다."

　방어관통 아티팩트에서부터 출발하여 메르딘의 해방에까지 이어지는 망상에 빠져 있던 에반을 샤인이 두들겨 깨웠다.

"미래의 일은 방어관통 능력을 가진 아티팩트를 얻고 나서 생각하시죠."
"아니, 됐어. 그냥 설산정령 귀걸이 끼고 살지 뭐……."

　방어관통 옵션이 없으면 어떻겠는가. 그냥 마나를 있는 대로 쏟아부어 헤븐 프레스와 헤븐 블레이드를 갈기면 어느 정도 해결되지 않겠는가.

　물론 그 반동으로 땅이 좀 무너지고 바다가 좀 갈라지긴 하겠지만 그 정돈 사소한 문제였다.

"하긴 설산정령 귀걸이도 충분히 훌륭하니까요."

"자, 다음으로 가자, 다음. 이번에 네 쌍단검 또 업그레이드 할 거야."

"기왕 할 거라면 검은색이 좋습니다만……."

"그러니까 이제 슬슬 검은색은 포기하자, 샤인……."

❋ ❋ ❋

그런데 그날 저녁, 설마 했던 일이 일어났다. 평소처럼 저녁 샤워를 마치고 벨루아의 무릎에 누워 귀 청소를 받던 중에 일어난 일이었다.

"음……? 도련님."

"왜?"

벨루아의 무릎 감촉과 정중하고도 상냥한 손놀림을 즐기며 지그시 눈을 감고 있던 에반이 벨루아의 부름에 눈을 떴다. 뭔가가 반짝이는 것이 보였다.

"뭔 빛이야? 마법이라도 썼어?"

"아뇨, 그것이……."

벨루아가 귀이개를 내려놓고 한편에 놓여 있던 에반의 설산정령 귀걸이를 들었다. 귀 청소를 받기 위해 떼어 놓았던 것인데 그것이 지금, 유독 눈부신 빛을 발하고 있었다.

"뭐지, 혹시 진화인가?"

아니, 그럴 리가. 그렇다면 에반이 착용하고 있을 땐 아무 일도 없다가 이제 와서 변화를 보일 리가 없었다.

에반은 고개를 갸웃하다 벨루아의 귀에 매달린 화산정령 귀걸이가 마찬가지로 빛을 토해 내는 것을 발견했다.

"루아, 네 귀걸이도 빛나는데?"
"네? 아…… 앗!?"

에반의 말에 벨루아가 손을 자신의 귀걸이에 가져다 댄 순간, 그 사건이 발생했다.

설산정령 귀걸이와 화산정령 귀걸이가 마치 공명이라도 하듯이 눈부신 빛을 뿜어내며 방 안을 가득 채웠다!

"꺅!?"
"해로운 건 아니야, 기다려 봐."

에반은 당황해 비명을 지르는 벨루아의 한 손을 붙잡으며 침착하게 빛이 사그라지길 기다렸다.

사실 화산정령 귀걸이가 빛난다는 것을 깨달았을 때부터

어느 정도 짐작이 가는 것이 있기는 했다. 다만 그가 알기로 요마대전 게임 내에선 이런 일이 없었기에 당황스러웠던 것인데……

'게임 속에서 일어나지 않았던 일들이 일어나는 게 새삼스러운 일도 아니고.'

빛이 곧 사그라지고, 시야가 원래대로 돌아왔다. 에반은 벨루아의 손에 시선을 주었다. 거기 놓여 있던 설산정령 귀걸이는 감쪽같이 사라져 있었다. 그 대신……

"웃…… 설마?"

벨루아가 흠칫흠칫하며 자신의 귓가에 손을 가져다 댔다. 귀걸이가 만져졌다. 이전과는 다른 질감, 다른 형태, 다른 마력을 뿜어내는 귀걸이가.

"아, 으웃."

직감적으로 설산정령 귀걸이와 화산정령 귀걸이가 한데 합쳐졌다는 사실을 깨달은 벨루아는 당황한 나머지 눈가에 눈물을 머금었다.
감히 자신의 도련님의 물건을 없애 버린 셈이 되었으니 평소 냉정 침착한 그녀라도 당황하지 않을 수 없었다.

"역시 그렇게 됐구나. 잘됐네."

"죄, 죄송해요, 도련님……."

"아냐, 이게 맞는 거겠지. 둘이 한 세트라는 건 알고 있었지만 설마 합체진화 같은 옵션까지 숨어 있었을 줄은……."

에반이 조심스레 손을 뻗어 그녀의 귓가를 쓰다듬었다. 벨루아는 얼굴이 붉어져 아무 말도 하지 못했다.

설산정령, 화산정령 귀걸이가 합쳐져 진화한 귀걸이는 특이하게도 두 개의 십자가가 비스듬히 겹쳐진 쌍십자의 형태를 띠고 있었는데, 색은 보랏빛이었다.

"기운이 심상치 않은데."

"마나 증폭이 어마어마해요. 더구나 화염 속성과 얼음 속성을 동시에 보조해 주는데, 어쩌면 이건…… 도련님, 잠시 실례하겠습니다."

벨루아는 그 말과 함께 아무것도 없는 허공에 작은 여우불을 만들어 냈다.

그녀가 만들어 낼 수 있는 여우불의 숫자는 모두 열일곱. 하지만 이번엔 달랐다.

하나둘 늘어나던 여우불이 끝내 열여덟 개까지 늘어나는가 싶더니, 놀랍게도 그것이 다시 한데 합쳐져 보랏빛의 부정형 기운으로 화한 것이다.

불꽃도, 얼음도 아니다. 오직 벨루아만이 다룰 수 있는 새로운 속성의 발현이었다.

"실은, 오늘 아침에 여우불을 열여덟 개까지 늘리는 데 성공했었는데……."

"귀걸이가 진화한 건 그게 원인이었구나. 그리고 두 아티팩트가 합체진화를 한 덕에 여우불이 다시 진화를 했고……."

단순히 설산정령 귀걸이와 화산정령 귀걸이가 합체진화를 했을 뿐이라 여겼는데 실은 그것뿐만이 아니었다. 이전 그녀가 여우불을 얻었던 아티팩트 옥염구. 그것 또한 사라져 있었던 것이다.

"무려 세 가지 아티팩트가 한데 합쳐졌단 얘기네. 하긴 이 정도 기운을 뿜어내려면 아티팩트 두 개만 가지고는 안 되지."

"도련님……."

"그런 표정 짓지 마, 진짜 괜찮으니까. 안 그래도 더 좋은 아티팩트를 갖고 싶었거든. 그런데 버리지 않고 진화 재료로 써먹게 됐으니 더 잘된 거야."

"대가는 다른 식으로 치를게요."

에반이 괜찮다고 했음에도 불구하고 벨루아는 대가를 치르겠다며 단호히 주장했다. 에반이 싫다고 해도 강제로 대가를 안겨 줄 기세였다.

"도련님."
"응?"

벨루아가 몸을 비스듬히 숙여 에반의 뺨에 키스했다. 그러곤 그의 귓가에 조그만 입술을 가져다 대며 소곤거리듯이 말했다.

"도련님 덕분에…… 이제 마녀의 성인식을 치를 수 있게 됐어요."
"음……?"
"마녀들은 한 명의 마녀로서 고유한 능력을 갖게 되면 성인식을 치러, 룬의 힘을 얻게 해요. 그로써 한 명의 완전한 마녀가 되는 거예요."

고유한 능력이라는 말에 바로 감이 왔다. 벨루아가 아티팩트의 도움을 받아 방금 만들어 낸 보랏빛 기운을 말하는 것이겠지.

사실 그녀의 능력만 따지면 그 누구도 그녀를 훌륭한 마녀로 인정하지 않을 수 없겠지만, 벨루아 자신이 설정한 기준에는 미치지 못하고 있었다. 그런데 이 일로 비로소 스스로도 납득할 만한 성과가 나온 것이다.

"그러니까…… 룬을 받고 나면, 저도 완전한 성인이에요."

성인.
실크라인이 규정하는 성인의 기준은 열여덟 살이지만, 지금 중요한 것은 그런 게 아니었다.
룬을 얻고 진정한 마녀로 각성하게 된 벨루아를 그 누구도 어린아이라 부르지 못하게 될 테니까.
그리고, 그러니까, 지금 그녀가 말하는 것은…….

"어, 음……."
"성인식, 함께해 주셨으면 해요."

벨루아가 마지막 한 줌의 눈물을 훔쳐 내곤 옅게 웃었다. 애초에 진심으로 울기는 했던 걸까, 에반은 의심스러워졌지만 감히 그것을 물어볼 생각은 하지도 못했다.

"부탁, 드려도 될까요?"
"……응, 알겠어."

마녀의 유혹을 받은 에반이 할 수 있는 것은, 그저 얌전히 고개를 끄덕이는 것뿐이었다.

✹ ✹ ✹

"이건…… 저번에 제가 만들었던 쌍단검이로군요."

오르타가 추억에 잠긴 목소리로 말했다. 지금 그는 손에 새카만 두 개의 단검을 들고 있었다. 바로 샤인의 쌍단검이다.

"그땐 이것이 무기의 완성형이라 생각하고 만들었었지요. 하지만 지금 보니 그 뒤가 남아 있다는 것을 알겠습니다."
"그야 드래곤의 소재가 있으니까요."

3년 전, 오르타와 에반이 힘을 합쳐 완성시킨 샤인의 쌍단검은 오랜 옛날 벨루아에게 옥염구를 구해 줄 때 함께 구했던 쌍단검, 트윈 블러드를 기반으로 피를 먹을수록 성장하는 시미터와 그것이 빨아들인 데빌 룬의 힘을 재가공해 만들어 낸 것이다.

에반의 능력으로 데빌 룬을 분리, 가공해 무기에 온전히 담아냈기 때문에 마기 내성이 없는 이는 다룰 수 없으며, 실제로 샤인은 이 무기의 힘을 제대로 끌어내기 위해 마기 내성을 에반 다음가는 수준으로 수련해야 했다.

"피를 먹으면 성장하는 특수 능력, 거기에 심혈을 기울여 새긴 데빌 룬까지…… 모든 게 완벽하지만 사실 단검을 이루는 몸체의 능력은 그렇게 특별하지 않죠."

"그렇기에 그 몸체를 드래곤의 뼈로 대체한다는 말씀이시군요."

"네, 바로 그거예요. 할 수 있겠죠?"

아티팩트의 다른 부분을 그대로 놔둔 채 몸체를 바꿔치기하는 것. 그것은 오히려 새로운 무기를 만들어 내는 것보다 더 어려운 일이다. 하지만 오르타는 자신 있게 고개를 끄덕였다.

"할 수 있습니다. 엘라의 도움을 받는다면 얼마든지."

"좋아요, 그럼 잘 부탁해요. 이번에 그 비슷한 일을 아마 몇 번 더 해야 할 거예요."

에반에게는 검은 구름이 있으니 괜찮지만 다른 단원들의 무기는 이번 기회에 싹 갈아 버릴 참이었다. 설령 성장형 아티팩트를 갖고 있다고 해도 그 성능을 유지한 채 드래곤의 부산물로 가공한다면 당장 능력의 증가를 기대할 수 있으리라.

더욱이 충분한 양의 방어 아티팩트를 갖고 있지 않은 단원들에게는 추가로 드래곤 가죽과 비늘을 활용한 방어구도 지급할 계획이었다.

"가장 중요한 건 마법 아티팩트인데. 가능하겠어요? 벨루아하고 폴한테는 제대로 된 마법 무기를 만들어 주고 싶어서요."

물론 드래곤의 뼈는 그냥 대충 깎아 내기만 해도 훌륭한 마법 보조 아티팩트가 된다. 하지만 그것을 제대로 가공하면 그 효율은 상상을 초월할 것이다.

오죽하면 들키는 것을 각오하고 마녀들에게 의뢰할 생각까지 할까. 하지만 그때 오르타 뒤에서 빼꼼 고개를 내민 엘라가 씩 웃으며 말했다.

"그거라면 나한테 맡겨. 뼈를 가공해 마법 무기를 만드는 건 내가 전문이거든."

"드워프가 마법 무기를 만든다고?"

"드워프가 만들지 못하는 무기는 없어, 인간. 단지 만들기 싫어하는 무기가 있을 뿐이야."

에반은 자신감 넘치는 엘라의 선언에 두 눈을 가늘게 떴다. 물론 평범한 드워프가 이런 말을 했다면 쉽게 믿을 수 있었겠지만…….

"예전에 넌 최강의 칼날을 만들어 내겠다고 떠들고 있지 않았던가?"

"그건 흑역사니까 잊어. 잊으라고!"

아니, 보다 깊이 생각해 보면 결국 그녀가 갖고 있던 레시피로 만들어 낸 게 칼날이 아닌 스킬이었으니 애초에 칼보다는 마법적인 뭔가를 만들어 내는 재주가 더 특출 났던 것일지도 모른다.

"어쨌든 믿고 맡겨. 그 마녀인가 뭔가 하는 애들보다는 내가 마법 무기에 대해 훨씬 더 잘 알고 있으니까. 먼 옛날 종족 연합군의 무기 생산을 담당했던 드워프의 역사를 고스란히 전수받은 나를 믿어."

"종족 연합군, 그래. 그런 이벤트도 있었던가."

확실히 요마대전 제로의 메인 시나리오에서 뜻을 모았던 많은 원시 종족들에게 지금의 드워프의 선조에 해당하는 이가 마땅한 무구를 만들어 주는 이벤트가 있었더랬다.

그때 만들어 내는 무구에 따라 고유무장의 형태와 능력까지 결정되기 때문에 최대한 좋은 무구를 만들어 내기 위해 다방면으로 노력했던 기억이 에반에게도 있었다.

"……엘라, 그럼 혹시 너 고유무장에 대해서도 알고 있는 게 있어?"

"알지. 애초에 최강의 칼날 레시피도 고유무장에서 떨어져 나온 조각인데."

그 얘긴 처음 듣는데!? 심지어 요마대전 시리즈를 모두 플레이했던 에반조차 모르고 있던 일이었다! 황당한 표정을 짓는 에반을 보며 엘라는 불퉁한 어조로 말했다.

"얘길 안 했으니까. 난 고유무장도 결국 평범한 무기인 줄 알고 있었어. 그런데 나중에 서적을 뒤져 보니 세대를 거쳐 지식이 전달되는 과정에서 와전된 거였지. 고유무장을 만드는 건 그 무장의 주인이 될 자와 드워프, 거기에 더해 특수한 마도 의식까지 곁들여져야만 가능한 일이었어. 그걸 알게 되고 나니 간신히 최강의 칼날이 스킬로 완성된 까닭도 납득할 수 있었어."

그것은 애초에 무기가 아닌, 한 존재의 완성을 위한 준비 과정에 불과한 레시피였다……고 얘기하는 엘라를 보며 에반은 어처구니가 없어 중얼거렸다.

"그걸 알았으면 진즉 좀 말해 주지……."
"말해 봤자 의미가 없으니까. 고유무장은 지금 세대엔 못 만드는 물건이야."
"그 정돈 나도 알아. 하지만 이렇게 들으니까 좀."

에반은 여태까지 스킨 블레이드를 그저 단순히 격투술의 보조를 받아 발현할 수 있는 베기 속성 스킬이라고만 생각하고 있었다.

그런데 이 스킬이 그 자체로 고유무장의 재료가 되는 것이었다니 소 뒷걸음질 치다 개구리를 밟는 것도 정도가 있지 않은가. 그래 봐야 개구리 한 마리로 끝나겠지만 말이다.

'고유무장…… 역시 무리겠지.'

종족 연합군이 결성되었던 신대에는 지금은 없는 다른 무수한 종족, 그리고 고대에만 서식했던 여러 동식물, 그렇기에만 존재할 수 있었던 마도구들이 있었다.

이제 와서 그것을 다시 연구해 본들 고유무장을 다시 만들어 내는 데 성공할 확률은 그리 높지 않았다. 사실 도전해 보고 싶은 과제였지만, 이미 지금 연구하고 있는 것도 충분히 많았다.

'조금 한가해지면 그때 가서 할아버지한테 상담해 보자, 나중에.'

아무튼 지금 중요한 것은 고유무장이 아니라 마법 무기다. 에반은 고개를 절레절레 저어 망념을 털어 내곤 인벤토리에서 어떤 물건 하나를 꺼냈다.

"그러면 혹시 이걸로도 마법 무기를 만들어 낼 수 있을까?"

"너……."

그것은 레드 드래곤의 눈알이었다. 엘라가 당장 다가와 그것을 빼앗아 들며 외쳤다.

"대체 뭘 얼마나 루팅해 온 거야!?"
"아니, 어째선지는 모르겠는데 제법 루팅을 많이 할 수 있더라고. 드래곤의 눈이 마법 무기를 만드는 데에는 최고의 재료라길래 이것까지 손을 대 봤지."

마음 같아선 두 개를 다 챙겨 오고 싶었지만 하나를 루팅하는 순간 드래곤의 사체가 사라지기 시작했기에 어쩔 수 없었다.
만약 그 분량만큼 고기나 뼈를 챙겼더라면 수십 킬로그램을 더 챙길 수 있었을 텐데, 얼마나 눈알의 가치가 컸는지 짐작할 수 있는 부분이다.

"하지만 잘 챙겼어. 드래곤의 안구는 맹세컨대 마법의 오브 Orb의 최고급 재료니까."
"벨루아 양을 위한 것입니까?"
"그…… 네."

오르타의 물음에 에반이 솔직하게 고개를 끄덕였다. 머릿속으로는 어느덧 어제 있었던 일들이 재생되고 있었다.

그의 뺨이 붉어지자 오르타가 나직이 웃었다. 이 중년 아저씨의 빌어먹게 여유로운 태도가 에반을 더욱 부끄럽게 만들었다!

"이제 곧 마녀의 성인식을 치른다고 해요. 그때 선물로 주고 싶어서……."

"그럼 서둘러서 만들어야겠네. 아, 그렇다고 대충 하겠다는 뜻은 아니니까 안심하고 모두 맡겨 줘."

드래곤의 눈알에 뺨을 비빌 기세로 흥분한 엘라가 선언했다. 제아무리 마법 무기를 만드는 것을 그리 좋아하지 않는다고 해도 드래곤의 안구쯤 되는 최고급 재료를 가져오면 얘기가 다른 것이다!

"완전히 맡길 수는 없어."

"음?"

하지만 에반은 지나치게 들뜬 엘라의 모습을 보며 단호히 선언했다.

그녀가 고개를 갸웃하자 에반이 어깨를 으쓱이며 품에서 뭔가를 꺼내어 놓았는데, 그것은 바로 뭔가가 새겨진 작은 구슬이었다.

그 안에 깃든 마기를 이 공간의 누구나가 느낄 수 있었다.

"너…… 그거, 대체 어떻게."

"내가 지난 몇 년간 가만히 놀고 있었다고 생각한 거야? 당연히 연구의 결과지."

"누구도 네가 가만히 놀고 있었다고 생각한 적은 없을걸!?"

옆에서 보기엔 숨 쉬는 시간은 있을까 싶을 만큼 바빠 보였는데 그동안 마기를 다루는 연구까지 하고 있었다니!

엘라는 기가 막혀 외쳤지만 오르타는 에반이 내민 구슬을 보며 순수하게 감탄하고 있었다.

"굉장히 순도가 높은 마기를 굉장히 깔끔하게 봉하고 있군요. 구슬의 재질은 그렇게 뛰어나지 않은 것 같습니다만 역시 비밀은 음각된 문자에 있는 겁니까?"

"맞아요, 오르타. 데빌 룬이에요."

"무에서 유를 창조할 수 있게 되셨군요."

무엇을 숨기랴, 에반이 내민 구슬은 이전 루이즈에게 맡겨 새로 개방된 셰어든 던전 5층의 히든 보스 보상방에서 마신의 조각상을 부수고 나온 마기를 봉인할 때 쓴 바로 그 구슬이었다.

마기가 없는 상태에서 데빌 룬을 먼저 만들어 내고, 그 데빌 룬에 생생한 마기를 담아 활성화시키는 것이 가능하다는 것은, 에반의 능력으로 데빌 룬의 힘을 품은 무기를 새로 만들어 낼 수도 있다는 뜻이다!

"벨루아는 곧 마녀로서 자신의 룬을 부여받게 돼요. 룬은 마녀 종족 고유의 능력을 증폭시켜 주는 굉장히 좋은 무기이지만 동시에 데빌 룬의 힘을 다루는 마족들과는 상성이 영 좋지 않죠."

"그래서 그것을 막기 위해 마법 무기에 데빌 룬의 힘을 담으시려는 거군요. 데빌 룬을 막기 위해서."

"맞아요. 벨루아도 샤인 못지않게 마기 내성을 단련했으니 괜찮을 거예요."

데빌 룬을 품고 나타난 사천왕을 대적한 이래 마녀들은 줄곧 데빌 룬의 존재를 두려워하고 있다.

그리고 데빌 룬에 당하지 않기 위한 가장 좋은 방법은 바로 이쪽도 데빌 룬을 다루는 것. 지난 3년간 크테아실이 동료들에게 용서받기 위해 가장 열심히 연구한 분야였다.

"벨루아라면 룬과 데빌 룬의 힘을 동시에 다뤄 보다 강한 위력을 낼 수도 있겠죠. 전 그녀의 재능을 믿어요."

"정말이지 다른 사람은 전혀 생각할 수 없는 발상을 떠올리시는군요……."

저쪽이 데빌 룬을 다룬다고 해서 두려워하고만 있으면 결코 이길 수 없다.

이쪽도 똑같이 대응해야 한다. 정정당당하게 싸워 물리쳐야 하는 것이다!

"앞으로도 순도 높은 마기를 품은 구슬을 몇 개 더 가져오게 될 거야. 그때마다 새로 마법 무기를 만들게 될 테니 잘 부탁해. 마녀들에게도 마련해 줘야 하거든."

재개방된 셰어든 던전에는 새로이 히든 보스들이 나타났고, 동시에 마신의 조각상도 전부 새로 교체되었다. 앞으로도 족히 열 개 이상의 마기 구슬을 구할 수 있으리라!

"으으, 내가 만든 마법 무기에 마기를 담아야 한다니. 그것도 드래곤의 안구 같은 최고급 재료에 마기라니⋯⋯!"
"네가 새로운 역사의 장을 열게 된 거야. 기쁘지?"
"만약 안 좋은 결과가 나온다면 내 평생 저주할 테니 각오해!"
"하하하."

자신만의 힘으로 완벽한 마법 무기를 만들어 내고 싶었던 엘라는 에반과 함께, 그것도 마기를 담은 마법 무기를 만들게 되었다는 것에 영 불만족스러운 표정이었다.
에반은 그 모습을 보며 씩 웃어 버리고 말았다. 그도 그럴 것이.

"네 저주 정도로는 내 저주 내성 못 뚫을걸."

"인간, 정말 저주할 거야……!"

크테아실이 만들어 냈으며 마신이 기꺼이 접수해 세상에 널리 퍼져 버린 끔찍한 능력, 데빌 룬에 대항하기 위한 프로젝트…… 일명 '맞불 프로젝트'가 시동한 순간이었다.

❊ ❊ ❊

"흡, 핫! 에잇!"
"좋아, 그대로 계속해! 거기서 한 발짝 더 앞으로 나와, 리즈!"
"웅! 에이잇!"

드래곤의 사체에서 얻은 부산물로 여러 장비를 제작하며 바쁘게 돌아다니는 한편으로, 에반은 유아반 교육에도 노력을 기울이고 있었다.

지금 당장은 에반이 직접 발로 뛰며 모든 일을 해결하고 있지만 언제까지고 그 혼자만 고생할 수는 없지 않겠는가.

그는 차기 기사단장으로 내심 자신의 여동생인 엘리자베스를 생각하고 있었다. 후작가의 직계이기도 하면서 앞으로 강해질 여지도 충분했기 때문이다.

'어쩌다 보니 이렇게 적극적으로 움직이게 됐지만 그건 어디까지나 다른 사람들이 너무 약해 빠졌다 보니 울며 겨자 먹

기로 일을 떠맡았을 뿐이지, 나도 내 인생을 좀 즐겨야 할 것 아냐.'

게임의 지식을 모르는 이 세상 사람들은 극소수를 제외하고 대부분 약하다. 하지만 마족을 비롯한 적들은 게임 속에 나타났던 것보다도 더욱 강화되어 나타나고 있다. 실로 불합리한 일이다.

거기에 대적하기 위해선 이렇듯 미리 정예를 양성하는 수밖에 없었다. 엘리자베스와 에이르는 시작에 불과하다. 어떻게든 훌륭한 자질을 지닌 아이들을 구해 미래의 어스트레이 단원으로 길러 내야 한다.

'정예들을 길러 낸 후에 무조건 서른 살 전에는 은퇴할 거야. 이대로 현실에 치여 살 수는 없어……!'

자질이 좋은 아이를 구하는 가장 좋은 방법은 무엇이겠는가? 바로 자질이 우수한 부모에게서 태어난 아이를 알아보는 것이다.

다른 말로 하면 에반의 주변 인물들의 아이를 구하는 것. 혈통이 괜히 중요한 것이 아니다!

지금 가장 주목하고 있는 것은 라이한의 연인인 한나와 세르피나였다. 가능하면 샤인과 아나스타샤도 후딱 저질러 주면 좋겠다고 생각하고 있었다.

사고를 쳐도 공작한테 죽도록 얻어맞는 건 샤인이지 에반이 아닌 것이다.

'하지만 나랑 루아도 이제 슬슬…… 아니, 그래도 그건 아직이지. 아니지. 음, 아직이지. 크흠.'

혼자 떠올린 생각에 괜히 스스로 부끄러워하며 몸을 배배 꼬는 에반. 에반의 지시에 따라 열심히 훈련을 하고 있던 엘리자베스가 그 모습을 보며 고개를 갸웃했다.

"오빠, 어디 아파? 리즈가 호 해 줄까?"
"괜찮아. 오빠 잠깐 에이르 좀 보고 올 테니까 혼자서 반복 수련하고 있어."
"웅!"

가만히 놔둬도 알아서 괴물처럼 성장하고 있는 엘리자베스에게 자율 훈련을 지시한 후, 제2지하 훈련장으로 향했다.
보통 규모가 큰 기술을 시험하거나 일반적으로 타인의 눈에 내보이기 곤란한 훈련을 할 때에 사용하는 곳이었다.

"에반, 안녕!"
"오오! 도와주러 왔어, 에반 공자? 안 그래도 슬슬 도움을 요청하고 싶었는데."

그곳에는 에이르는 물론이고 마녀 크테아실도 함께 있었다. 지금 그녀는 에이르의 몸에 완벽하게 맞는 데빌 룬을 만들어 내는 데 골몰하고 있었다.

"활성화 작업은 좀 어때."

"으음, 분명 룬을 개체에 맞춰 새겼다고 생각했는데 아직까지 반응이 없어. 몬스터가 아닌 존재의 마기를 인도해 데빌 룬을 만들어 내는 작업은 처음 하는 것이다 보니 여러모로 길이 꼬이게 되는군. 뭣보다 피시전자의 의도가 중요한데 단순한 몬스터에 비해 지적인 존재의 의지는 복잡해. 제아무리 두 살 어린아이라고 해도 말이야."

"나야말로 살아 있는 사람을 대상으로 데빌 룬을 새긴 적은 없는데 말이지……."

누누이 언급했지만 에이르는 굉장히 특별한 존재였다.

인간과 엘프의 혼혈이라는 것만 해도 특별한데, 그 인간은 순수한 인간이 아니라 마화족의 여왕과 영혼의 계약을 맺어 변질된 존재이기까지 했다.

그 결과 반은 엘프, 4분의 1은 인간, 4분의 1은 마족의 피가 섞인 특별한 존재로 태어나게 된 것.

다만 고작 4분의 1만 섞인 것치고는 마족의 인자가 터무니없이 강해 강한 마기를 품고 있다는 것이 문제였다. 로즈가 자신의 딸이라고 주장하는 것도 어느 정도 납득이 갔다.

"모든 사심을 제하고 솔직히 말하지. 제대로 만들어 내 활성화시킬 수만 있다면, 내가 예전 몬스터 실험을 통해 만들었던 그어떤 데빌 룬보다도 강력한 데빌 룬이 탄생하게 될 거야."

"흐으으음."

에반은 에이르의 몸에서 무절제하게 피어나는 마기를 함부로 확산되지 않게 자신의 마기로 제어하며 녀석과 마주 보았다.

녀석은 자신이 품고 있는 힘이 얼마나 위험한지 전혀 모르는 듯, 왕방울만 한 두 눈으로 에반을 빤히 바라보고 있을 뿐이었다.

"무슨 얘기 하는 거야, 에반?"

"에이르의 능력에 대한 얘기를 하고 있었지. 에이르의 문신이 밝아지면 정령도 부를 수 있을 테고, 더 강해질 수도 있을 거야."

엘리자베스와 오랜 시간 떨어지는 것을 싫어하는 녀석을 언제까지고 붙잡아 둘 수도 없는 터라 하루에 한두 시간 정도만 연구하고 나머지 시간엔 엘리자베스와 함께 무기술을 수련하게 하고 있었다.

물론 그것 때문에 작업 일정이 길어지고 있는 것도 사실이었지만…… 에반이 애매한 미소를 짓고 있자니 에이르가 고개를 갸웃하며 물었다.

"문신이 밝아지면 강해져?"

"에이르는 강해지는 게 싫어?"

"그건 재밌는 거야?"

"물론, 약한 것보다는 재밌지."

이 시대에 강함의 크기란 곧 자유의 크기. 강하기에 짊어져야 하는 것이 있다면 강하기에 놓아 버릴 수 있는 것은 그보다 훨씬 많다.

지금의 에이르가 굳이 그것을 알 필요는 없지만 말이다. 더욱이 녀석을 잘 꼬드겨 어스트레이에 입단시키려는 에반이 할 말은 아니기도 했다.

"그리고 또? 또?"

"그리고 또……."

세뇌…… 아니, 조기교육의 중요성은 에반도 익히 알고 있다.

그는 이 어린아이를 어떻게 구슬려야 장차 그를 대신할 어스트레이의 기둥으로 키워 낼 수 있을지 고민하며 신중하게 입을 열었다.

"그리고 강해지면 여유로워져. 더 많이 놀 수 있지."

"그럼 에반도 나랑 많이 놀아 줘? 리즈 언니는?"

"음, 우리는 의무를 부여받은 귀족이라 평소 해야 할 일들이 많거든. 에이르가 그걸 도와주면, 그만큼 같이 놀아 줄 수 있어."

이 정도 약은 쳐도 되겠지. 세상만사 기브 앤 테이크!

에반은 그렇게 생각하며 내심 고개를 끄덕였지만 옆에서 그들의 대화를 지켜보던 크테아실은 어이가 없다는 표정을 짓고 있었다.

그때였다.

"그럼 좋아! 나 강해질래!"

"하하."

강해지고 싶다고 해서 바로 강해질 수 있다면 얼마나 좋겠어? 라고 생각한 에반은 다음 순간 자신의 생각을 철회했다. 그녀의 전신에서 음산한 검은빛이 분출하기 시작한 것이다.

"뭐야, 설마 방금 대화로 방향성이 잡힌 거야!?"

"에반 공자, 잘했어!"

"나도 내가 뭘 잘했는지는 모르겠지만 일단 바로 시작하자!"

이미 데빌 룬의 기초 공정 작업은 한참 전에 끝나 있었다. 지금 에이르의 전신 곳곳에서 희미하게 빛을 발하며 모습을 드러내는 각인이 그것을 증명했다.

단지 그것을 활성화시켜 에이르의 마기에 맞춰 가공하는 작업이 남아 있었는데, 지금 그 시동이 걸린 것.

데빌 룬은 룬을 다루는 것만큼이나 사용자 본인의 강렬한 의지가 중요한데, 어린아이인 에이르가 '스스로 하고 싶은 것', '자신의 행동이 불러오는 결과'에 대해 인식한 결과 그녀의 마기가 비로소 그녀의 의지대로 움직여 데빌 룬을 구성하기 시작했다!

"공자, 집중해!"
"집중하고 있어. 에이르의 마기가 폭주하게 놔두진 않을 테니까 안심해."
"우와아아아, 신기해!"

자신의 몸에서 번쩍이는 각인이며 마구 피어나는 마기를 느낀 에이르가 순진하게 박수를 치며 기뻐했다.

물론 상황은 그리 가볍지 않다. 마기를 완벽하게 제어해 모두 데빌 룬에 고착시키지 않는다면 폭주가 일어날 가능성이 있었다.

하지만 스스로 데빌 룬을 다루며, 데빌 룬을 지닌 사천왕을 물리친 경험까지 있는 에반이 제아무리 능력이 뛰어나다지만 이제 두 살밖에 되지 않은 아이의 마기를 감당하지 못할 리가 없었다.

'자, 갑갑한 몸 안에 갇혀 있지 말고 모조리 내부에서 뛰쳐 나와라. 방향은 이끌어 줄 테니 얌전히 따라와 안착해라.'

에이르에게서 비롯되었으니 오직 그녀만을 지키는 방패가 되어라.
그녀에게 대적하는 모든 적을 베어 내는 검이 되어라.
그녀의 뜻에 따라 앞길을 가로막는 모든 방해물을 날려 버리는 바람이 되어라.

"좋아, 안정화되기 시작했어! 체내 마기의 흐름이 바뀌고 있어! 마기가 체내를 휘돌지 않고 바로 데빌 룬에 흡수되고 있어……!"
"친절한 설명 고마워, 크테아실."

게임에 나오는 오퍼레이터 같은 말투로 상황을 해설하는 크테아실의 말에 에반이 옅은 미소와 함께 대꾸했다.
그도 느끼고 있었다. 본래 데빌 룬의 활성화가 이렇게 간단한 작업은 아닌데 에이르에게서 비롯된 마나가 반항할 생각도 없이 바로 에반의 인도에 따라 그녀의 피부에 안착하며 안정적으로 데빌 룬을 형성한 것이다.

"에반, 나 강해지고 있는 것 같아!"
"오, 그래. 너도 느끼고 있구나."

자신의 피부 위로 빛나며 복잡한 문양을 드러내는 데빌 룬을 매만지며 에이르가 순진하게 외쳤다.

역시 바로 느낀 것인가, 확실히 자질이 충만한 아이다. 에반은 만족스러워하며 에이르의 머리를 부드럽게 쓰다듬어 주었다.

"몸에 불끈불끈 힘이 솟는 것 같아!"

"그야 그렇겠지."

데빌 룬의 능력은 사용자의 능력과 개성에 따라 정해진다. 단지 그 방향성을 어느 정도 유도하는 작업은 가능했으며 사실상 크테아실과 에반이 가장 집중한 것도 그쪽이었는데, 참고 자료는 다름 아닌 에반의 부츠에 새겨진 데빌 룬이었다.

'바로 강화의 능력. 내 데빌 룬이 평상시 기운을 비축했다가 활성화한 순간 신체 능력을 크게 증폭시킨다면, 에이르의 몸에 안착시킬 데빌 룬은 그것의 마이너…… 아니, 변형된 버전이라고 해야겠지.'

에반의 부츠에 깃든 데빌 룬은 일장일단이 명확하다. 활성화했을 때 막대한 힘을 얻을 수 있지만 대기시간이 너무 긴 것이다.

더욱이 에반 본인은 워낙 막대한 능력을 지니고 있으니 상관없지만, 제대로 기운을 비축하려면 역시 저주를 활성화해 스스로의 힘을 평소 묶어 두어야 한다.

소유주가 에반이기에 큰 성과를 낼 수 있는 것이지, 사실은 결함이 많은 능력이다.

그것을 그대로 에이르에게 쥐여 줄 수 없기에, 에반은 크테아실과 많은 연구를 통해 이 데빌 룬을 보다 보편적인 방향으로 개량했다. 그것이 지금 에이르가 품게 된 데빌 룬의 정체였다.

'룬을 각성한 지금 이 순간부터 쭉 적용되는 패시브 강화 효과와, 룬을 활성화했을 때 나타나는 액티브 강화 효과. 평소엔 몸이 20% 정도 강해지는 선에서 끝이지만 제대로 활성화하면 짧은 시간 동안 폭발적인 힘을 얻을 수 있게 될 거야.'

물론 그래 봤자 에반의 부츠의 증폭률보다는 훨씬 덜하겠지만 페널티 없는 힘을 손에 쥐었다는 것이 중요하다.

뭣보다 범용성이 높은 능력이기에 에이르가 장차 어떤 식으로 성장하든 훌륭하게 써먹을 수 있기까지 하니 완벽하다!

"에반 공자, 성공이다! 우리가 드디어 몬스터가 아닌 지적 생명체에게 제대로 데빌 룬을 안착시켰다!"

데빌 룬을 완성시킨 에이르의 모습을 보며 감회에 젖어 있던 그때 에반보다 수십 배는 흥분한 것처럼 보이는 크테아실이 환호성을 내지르며 그에게 덤벼들었다.

에반은 빨간 천을 들고 있는 투우사처럼 능숙하게 그녀의 돌진을 피하며 손을 내저었다.

"진정해, 크테아실. 원래 마기를 갖고 있었기에 가능했던 일이니까……."

"아아, 이것으로 내 오랜 집착과 망념도 해소할 수 있겠지. 그런 기념으로 오늘 밤은 우리 함께하는 것이 어떤가, 에반 공자. 디폴트에게도 이 사실을 알리고 싶으니……."

"죄송합니다, 제겐 허들이 너무 높은 만남입니다."

기회를 타고 에반을 꼬드기려는 것도 모자라 자신의 동생까지 한꺼번에 해치우려고 하다니 이 얼마나 끔찍하고 무시무시한 마녀란 말인가!

"와아, 나 강해졌어! 리즈 언니한테 알려 주러 가야지!"

"앗!?"

그건 예상치 못했던 일이었다. 순식간에 초월적인 힘을 얻은 에이르가 신이 나서는 제자리에서 방방 뛰는가 싶더니 곧장 훈련장을 빠져나간 것이다!

에반과 크테아실은 당황해서 후다닥 그 뒤를 쫓았으나, 그들이 볼 수 있었던 것은 에이르와 엘리자베스가 투닥거리며 엉켜 놀고 있는 모습이었다.

"뭐야, 에이르 갑자기 왜 이렇게 세졌어?"
"정말이다, 강해지니까 언니랑 더 재밌게 놀 수 있어! 에잇!"
"이익, 안 져!"

그렇다. 데빌 룬을 각성한 에이르를 상대로 엘리자베스는 물러나지 않고 있었던 것이다. 설마 여태까진 제 힘을 완벽히 드러내지 않고 있었던 것일까?

"에반 공자……."
"아니, 그런 눈으로 보지 마. 나도 좀 심했다는 건 알고 있으니까……."

에반은 자신을 빤히 바라보는 크테아실의 시선을 피해 고개를 돌렸다.
어스트레이 나이츠의 조기교육은 오늘도 성공적으로 진행되고 있었다.

Chapter 57.
에반 디 셰어든, 밤을 넘다

  에이르가 데빌 룬을 각성해 엘리자베스와 동등한 무력을
손에 넣게 된 후, 두 사람은 본격적인 대련 수업에 돌입했다.
  멀리서 보기엔 조그맣고 귀여운 여자애 둘이 투닥거리는
것으로 보이지만 가까이서 보면 기겁하게 될 것이다. 둘이 정
면에서 격돌할 때마다 폭탄 하나씩 터지는 것 같은 굉음이 나
고 있었으니까.

  "정말 확실하게 강해졌네. 거기에다 신체 단련을 하면서 쌓
은 기초 스테이터스가 높다 보니 어지간한 병사들은 다스 단
위로 쓸어버릴 수도 있겠어……."
  "그런 에이르를 상대로 밀리지 않는 공자의 여동생이 더 경
악스럽지만 말이지."
  "그것도 조만간 완벽하게 뒤집어지지 않을까? 에이르한테

는 카드가 하나 더 있잖아."

그것은 바로 정령을 소환해 탄환에 그 힘을 부여하는 일종의 인챈트 스킬, 엘레멘탈 차지를 말하는 것이다.

데빌 룬 활성화에도 성공했겠다, 마음 같아선 바로 에이르의 정령 소환…… 아니, 엘레멘탈 차지 수련까지 진행하고 싶은 에반이었으나 당분간은 데빌 룬에 익숙해지도록 두고 보자는 크테아실의 제안에 고개를 끄덕였다.

"나 최대한 빨리 적응할 테니까 정령들하고 같이 놀 수 있게 해 줘!"

"응, 곧 정령들로 놀 수 있게 해 줄 테니까 열심히 해."

"고마워!"

에이르는 에반의 미묘한 단어 수정을 눈치채지 못하고 넘어갔다. 일명 거짓말은 하지 않았다 전략. 과연 외도의 인도자다운 짓이었다.

"오빠, 나도 더 강해지고 싶어!"

"리즈는 지금도 충분히 강하잖니."

"그래도 에이르한테 밀리는 거 싫어……!"

엘리자베스는 언니로서 자존심을 세우기 위해 보다 강해지려는 것 같았다.

어스트레이 유아반이 순조로이 전투민족화하는 것을 이대로 지켜보아야 하는가 잠시 고민하던 에반은 곧 깔끔하게 포기하기로 했다.

어차피 녀석들이 에반보다 강해지는 일은 없을 테니 다른 사람들이 고생하는 건 알 바 아니었다!

"그럼 오빠가 무술 하나 더 가르쳐 줄까? 천중이라고, 오빠랑 미하일 아저씨만 사용하는 무술이야."

"가르쳐 줘!"

에이르를 부러워하던 엘리자베스의 투정에 에반이 꺼내 든 카드는 다름 아닌 천중이었다.

아이언월 나이츠의 단장 미하일 디 에어로크로부터 전수받은 이래 신의 축복과 에반의 연구 끝에 독자적으로 발전과 진화를 거듭해 지금은 원형을 흔적도 찾아보기 힘들게 된 끔찍한 전투 기술.

단 에반이 진심으로 엘리자베스에게 이것을 전수해 주려는 것은 아니었다. 보다 정확히 말하자면 어차피 그녀가 천중을 익히지 못하리라는 사실을 알고 있었다. 여태껏 기술을 전수하는 데 성공한 적이 없기 때문이다.

"가르쳐 주기 전에 오빠랑 약속 하나 해야 해."

"뭔데?"

"아까도 말했지만 이 무술을 다루는 건 오빠랑 미하일 아저씨뿐이야. 오빠는 어스트레이의 단장이고, 미하일 아저씨는 아이언월 나이츠의 단장…… 즉 기사단장 전용 무술인 거지."

어쩌다 보니 그렇게 되었을 뿐이었지만 엘리자베스는 그 구라에 순조로이 넘어가 고개를 끄덕이고 있었다.

"그러니까 리즈도 이걸 배우고 나면 오빠 다음으로 어스트레이의 단장이 되는 거야. 알겠지?"

"응!"

좋아, 후계 구도가 확정되었다! 미리엄이 알게 되면 화내겠지만 어차피 요조숙녀 계획이 글러 먹은 이상은 어스트레이 단장 취임 루트가 엘리자베스에게 있어서도 최고의 결과일 것이다. 분명 그럴 것이다!

얼렁뚱땅 동생을 속여 넘긴 에반은 자신을 빤히 바라보는 다른 단원들의 시선을 피하며 휘파람을 불었다.

"단장에 취임한 그해에 은퇴를 계획하다니, 에반……."

"원래 은퇴 설계는 미리미리 하는 거야."

에반은 그로부터 며칠에 걸쳐 엘리자베스에게 천중의 기본
이 되는 요령과 동작에 대해 교육했다.

에반 본인은 크게 인식하지 않고 있을지 몰라도, 다른 누군
가를 교육하는 그의 능력은 인도자라는 클래스로 승화할 만
큼 대단하다.

엘리자베스 역시 무재를 타고난 만큼 어렵지 않게 그의 가
르침을 따라왔지만, 역시나 천중이 그리 만만하지는 않았다.

"할 수 있을 것 같은데 안 돼……. 리즈는 격투술에 재능이
없나 봐, 오빠."

"격투술은 재능을 가리지 않는 무술이야, 리즈. 실망하지
말고 천천히 해 보자."

말은 그렇게 했지만 에반은 엘리자베스를 가르치며 스스로
도 굉장히 놀라고 있었다.

모닝스타를 두 개 쥐고 능숙하게 휘두를 때부터 대충 눈치
를 채긴 했지만 엘리자베스는 뭔가를 배우고 숙달하는 것이
굉장히 빨랐다.

만약 에반이 엘리자베스 정도의 재능이 있었다면 지금보다
도 훨씬 강해지지 않았을까 하는 생각이 들었다.

그렇다고 이제 와서 동생의 재능에 질투하지는 않는다. 그
저 순수하게 감탄했을 뿐이다. ……물론 에반이 하는 생각을
다른 이들이 알았더라면 사돈 남 말 한다고 생각했겠지만 말

이다.

"이거 너무 어려워."
"서두를 필요는 없어, 리즈. 힘들면 잠깐 쉬었다가 하자."
"응……."

어쩌면 디폴트조차 익히지 못했던 천중을 이 아이라면 익힐 수 있을지도 모른다.
에반은 그런 기대감을 겉으로 드러내지 않으려 무진 애를 쓰며 엘리자베스를 달랬다. 한편으로는 정말로 자신의 은퇴가 빨라질지도 모른다는 생각을 하면서!

❀❀❀

에반이 유아반의 오전 교육을 마치고 오랜만에 집무실에 처박혀 서류 작업을 하던 중, 샤인이 문을 노크하더니 들어왔다.

"도련님, 기사단 망토 제작이 끝났다고 합니다."
"오, 타이밍 좋네."
"타이밍?"
"응."

샤인이 고개를 갸웃하며 하는 말에 에반이 볼을 긁적이며 대꾸했다.

"마녀들에게 오늘 밤에 의식을 치른다는 연락을 받았거든."
"무슨 의식입니까, 도련님의 정기를 빨아먹는 의식?"
"나 방금 분명히 마녀라고 하지 않았냐? 서큐버스가 아니라."

에반은 샤인의 이마에 알밤을 먹이며 추가적으로 해설했다.

"루아의 성인식 말이야."
"아아, 과연. 하긴 망토는 마녀의 상징이기도 하죠."
"성인식이라……."

에반의 뒤에 시립한 채 가만히 대화를 듣고 있던 디오나가 의미심장한 투로 중얼거렸다. 머리띠에 불과할 터인 토끼귀가 혼자서 까딱거렸다.

"제법 흥미로운 얘기를 들었네요."
"디오나, 너 메이벨에 이어 이젠 아리샤까지 닮아 가는 것 같은데."
"착각이세요, 공자님. 제가 벨루아 님의 독주를 견제하는 여자들의 모임에 소속하는 것도 모자라 아리샤 아가씨와 동맹을 맺고 있을 리가 없잖아요. 그럼 공자님, 전 갑자기 중요한 볼일이 생겼기에 이만!"

"이 자식 잡아!"

하지만 이미 늦어 있었다. 벨루아의 성인식에 대해 알게 된 이들은 그 속뜻까지 금세 파악할 터.

이럴 줄 알고 최대한 나중에 알리려고 했던 것인데 이렇게 망해 버리다니, 에반은 허무한 마음을 금할 수가 없었다.

"포기하시면 편하다니까요, 도련님."

"기대해라, 샤인. 머지않은 언젠가 반드시 그 말 그대로 되돌려 주는 순간이 올 거다."

샤인과 에반은 평소처럼 서로에게 날이 선 부메랑을 던지며 방을 나섰다. 디자이너 오트파는 본부 1층 로비에서 그를 기다리고 있었다.

"안녕하세요, 에반 공자님! 완성된 망토를 보여 드리러 왔습니다!"

"아, 남녀별로 디자인을 조금씩 다르게 했네요."

"자자, 우선 여길 보시죠!"

왕도에서 가장 잘나가던 디자이너답게, 오트파는 통일성을 중시하면서도 남녀 차이에 따른 개성을 확연히 드러낼 수 있는 멋들어진 전신 망토를 만들어 내는 데 성공했다.

남성용은 보다 크고 예리한 느낌을 주었고, 여성용은 신체라인을 드러낼 수 있게끔 보다 몸에 달라붙는 디자인이었으며 전체적으로 부드러운 인상이었다.

"도련님, 보시죠. 등 쪽에도 제대로 어스트레이의 인장을 새겨 놓았습니다."

"말씀 잘하셨어요! 사실 이건 연금술사님들의 도움을 받아 만든 마법의 실이랍니다! 에반 공자님이 원하시던 대로 경화 능력이 담겨 있어서 약간의 마나만 불어 넣어도 본래 재질 이상으로 튼튼하고 날카롭게 변하죠!"

굉장히 만족스러운 결과였다.

'경화'는 본디 단순한 능력이지만 소재에 따라서 그 성능이 어디까지고 증폭될 수 있는 마법인데, 이 망토의 소재가 다른 무엇도 아닌 레드 드래곤의 가죽이다 보니 현존하는 어지간한 무장은 압도할 수 있는 방어구가 탄생한 것이다!

"더구나 사용자의 생각대로 부피를 늘리거나 줄이는 것도 가능해요. 보세요, 주입하는 마력 양에 따라 부피를 늘려 그대로 경화를 적용시킬 수도 있답니다."

에반은 망토 하나를 받아 들어 그것을 시험해 보았다. 본인이 지니고 있는 마나의 지극히 적은 일부를 주입했을 뿐인데도 망토가 옆으로 3미터 이상 쭉 늘어났다.

더구나 그 타이밍에 경화를 발동하니 순식간에 굳으며 완벽하게 전방을 가로막기까지. 누구도 쉬이 돌파할 수 없는 든든한 방어벽을 세운 것이다.

"마지막으로는 후드입니다. 후드를 착용하면 얼굴 부분을 전체적으로 보호하는 마법의 보호막을 만들어 낼 수 있어요. 덤으로 시야 보조 기능도 달려 있답니다."

"흠, 그렇게 되면 완전히……."

"네."

오트파는 스스로 말하면서도 믿기지 않는 듯 겸연쩍게 웃으며 말했다.

"전부 아티팩트가 되었습니다. 소재가 뭔지는 몰라도 정말 대단한 경험을 했어요."

"완벽해요. 전부 다 이런 성능인가요?"

"으음, 그게…… 아뇨."

오트파의 망설임 섞인 말에 에반의 표정이 순간 굳었다. 오트파가 바로 손을 내저었다.

"아뇨, 성능이 떨어지는 물건이 있다는 얘기가 아녔어요. 대부분 동일한 성능의 아티팩트로 완성되었습니다만…… 딱 한 벌, 단장 전용으로 조금 더 신경 써서 만든 망토가."

"네?"

오트파가 가장 뒤에 숨겨져 있던 망토를 꺼내 들어 에반에 게 내밀었다.

겉으로 보기에는 다른 망토들과 그리 다르지 않아 보였는 데 받아 들고 보니 차이점을 알 수 있었다.

테두리에 보랏빛 실로 장식을 해 놓은 것이다. 더욱이 마나 를 주입하면 그 부분이 찬란하게 반짝이기까지!

"단장의 망토는 더 눈에 띄어야 한다고 생각해서요!"

"아니 그야 단장을 쉽게 알아볼 수 있는 쪽이 더 좋기는 합 니다만…… 성능은?"

"나머지는 전부 동일한데, 그게 아무래도 단장 전용이다 보 니…….."

"단장 전용이다 보니."

"조금 더 눈에 띄게 되는 효과가."

지금 이대로도 충분히 눈에 띄는데 대체 무슨 말이 하고 싶 은 걸까. 에반은 어물거리는 오트파의 모습에 의아해하며 직 접 망토를 둘러 보았다.

양쪽 어깨 부분의 장식을 조여 어떤 옷이든, 갑옷이든 안정적으로 그 위로 탈착할 수 있게 만든 것을 보면 사용자 편의와 성능을 동시에 만족시키는 훌륭한 옷이라는 것을 알 수 있었다.

"됐다. 그래서 어때, 샤인. 눈에 띈다는 게 무슨 의미인지 알겠어?"
"아…… 아, 으음. 네, 알겠습니다."

에반 본인은 여전히 알 수 없었지만 샤인은 그가 망토를 두르자마자 그 망토가 지닌 부가 기능을 파악한 모양이었다. 하지만 어딘가 얼굴을 붉히며 고개를 돌리는 것이 살짝 재수가 없었다.

"뭐야, 뭔데."
"아니 그냥 눈에 더 잘 띕니다, 도련님. 그냥 그렇다고요."
"네, 네엡! 예상은 하고 있었지만 정말 에반 공자님이 걸치시니, 후우…….

만족스럽지 못한 말로 둘러대는 샤인. 오트파의 숨결은 살짝 거칠어지기까지 했다.
괜히 불안해진 에반이 그들에게서 한 걸음 떨어지니 오트파는 물론이고 샤인까지 본능적으로 앞으로 한 걸음 다가왔다.

"아니 뭔데!"
"도련님, 여기 계셨어요? 마침 보고드릴 것이…… 어머나."

바로 그때 본부 문이 벌컥 열리고 그 안으로 메이벨이 들어왔다. 에반이 어딘가 불길한 예감을 느끼면서도 뒤돌아보니, 이미 메이벨의 눈이 맞이 가 있는 것이 보였다.

"도련님, 거기 가만히 계세요! 도련님의 뜻은 제가 잘 알았으니까!"
"아니 그니까 뭐냐고!"

양손에 들고 있던 것을 내팽개친 메이벨이 눈을 빛내며 돌진해 왔다! 에반은 기겁해 그 자리에서 냅다 도망쳤다. 망토를 벗어 던질 틈조차 없었다!

"도련님의 뜻은 이미 다 알고 있다니까요!? 자자, 생각은 그만두고 제게 모든 걸 맡기세요!"
"살려 줘, 루아!"

단장의 망토에만 적용된 추가 능력이 바로 착용자의 매력을 증폭시켜 주는 것이라는 사실을 에반이 깨닫게 된 것은 그로부터 세 시간 후였다.

참고로 그땐 이미 에반의 동정을 노리는 추격자가 백 명 이상으로 불어나 있었다.

❀ ❀ ❀

그날 밤, 셰어든의 마녀들이 몸을 담고 있는 길드 핏빛 사과에서 정식으로 벨루아의 성인식이 치러졌다.

마녀의 성인식은 단순히 나이가 찬다고 치를 수 있는 것이 아니라, 한 명의 마녀로서 나아갈 길을 확립한 이들이 다른 마녀들의 도움으로 그들 종족 고유의 힘, 룬을 각성하는 것을 이른다.

정식으로 마녀의 마도를 수련하는 이라고 해도 성인식을 치르기까지 족히 30년이 걸리기 마련인데, 고작 열여섯의 나이로 성인식을 치르게 된 벨루아는 마녀 종족 역사상 최고의 인재랄 수 있었다.

"설마 셀룬의 기록이 깨질 줄은 몰랐는데."

"이전 다른 방랑 마녀들과 교류한 적도 있지만 역시 열여섯은 굉장히 이른 편인가 봐."

벨루아가 성인식을 치르게 되었다는 얘기는 마녀들 사이에서도 큰 화제가 되어 있었다.

본래 의식을 위해 모든 마녀가 모일 필요는 없음에도 불구하고 오늘은 셰어든에 머무르는 마녀 전원이 모여들었을 정도였다.

"아니, 바보들아. 벨루아는 이미 3년 전부터 룬의 힘 없이도 어지간한 마녀를 가볍게 짓누르는 실력자였잖아. 성인식을 치르려면 그때부터도 얼마든지 가능했다구."

"벨루아는 정말 누구의 딸일까? 저 정도로 재능 있는 아이를 둔 마녀라면 우리가 얘기를 들어 봤을 법도 한데."

"분명 특별한 혼혈이겠지."

마녀이면서 동시에 신인족이기까지 하니, 어쩌면 혼혈이라는 결론은 그렇게 틀리지 않은 것일지도 모른다.

그런데 에반이 그런 생각을 하며 음음 고개를 끄덕이고 있자니 옆에서 다른 마녀들이 소곤거리는 목소리가 들렸다.

"역시 에반 공자의 곁에 있었기 때문이 아닐까……?"

"그럼 우리도 에반 공자의 곁에 있으면 강해지지 않을까?"

"큼, 안 그래도 오늘 에반 공자가 유독 매력적으로 보이던데……."

"언젠 안 그랬어?"

"오늘 유독 그랬다니까!? 그냥 자빠트릴 뻔했지 뭐야."

불똥이 에반에게로 튀고 있었다! 가만히 듣고 있던 에반은 자신에게로 모여드는 시선을 깔끔하게 무시하며 망토를 쓰다 듬었다.

세 시간의 치열한 도주극 끝에 망토가 주는 부가 기능의 제어 방법을 깨달은 그는 매력 부가 기능을 차단해 두고 있었다.

과유불급이라. 가뜩이나 하늘을 찌르는 자신의 매력이 증폭되기까지 하면 얼마나 큰 참사가 일어나는지 그는 오늘 톡톡히 깨달았다.

아마 이 부가 기능을 다시 활성화시키는 날은 찾아오지 않을 것이다. 망토 자체는 예쁘니까 계속 입고 다니겠지만!

"에반 공자!"
"아, 셀룬."

마녀들에게서 조금 더 떨어져야 하는 걸까 고민하며 슬금슬금 움직이던 에반을 갑자기 뒤에서 나타난 셀룬이 와락 끌어안았다.

약간의 약초 냄새와 그것을 상회하는 상쾌한 물 냄새, 마지막으로 뭉클한 감촉이 등을 덮쳐 왔다.

만약 벨루아가 바로 옆에 있었다면 셀룬의 행동을 저지했겠지만 안타깝게도 지금 그녀는 성인식의 사전 준비 탓에 대모 멜로니아에게 붙들려 있었다.

"그렇게 불러도 안 오다니 너무해! 난 매일매일 에반 공자랑 만나고 싶은데……."

잿빛 눈동자를 지닌 물의 마녀 셀룬.

그녀는 마족 대공습 당시 압도적인 룬의 힘으로 혁혁한 전공을 세운 젊은 마녀 중 최고의 실력자이며, 동시에 성적으로 개방적인 마녀치고는 특이하게도 에반 한 사람만을 바라보고 있는 순정파이기도 했다. 그 점이 더욱 부담스럽다.

"아…… 미안, 나한테 그런 얘기를 하는 여자가 너무 많아서 일일이 고려해 줄 수가 없어."

"아으, 멋져……!"

"멋져!?"

에반은 안 그래도 책임져야 하는 여자가 많은 만큼 되도록 다른 선택지를 지닌 여자들은 쳐 내고 싶었으며 그런 만큼 말도 가리지 않고 하는 편이었지만 아무래도 그것이 셀룬에게는 역효과인 모양이었다.

"원래 다른 여자들도 탐을 내는 남자가 더 멋져 보이는 법이거든. 그런 의미에서 에반 공자는 세계 최고로 매력적인 남자야."

"……셀룬은 언제 한번 나쁜 남자한테 잘못 걸려서 크게 고

생할 것 같네."

"그게 에반 공자라면 괜찮아!"

음, 이래서 핏빛 사과 길드 하우스에 오기 싫은 것이다. 메이벨이 안 좋은 의미로 적극적으로 진화한 것 같은 여자가 넘쳐 나는 곳이니까.

에반은 그로부터 잠시간 셀룬을 비롯한 마녀들의 적극적인 스킨십으로부터 필사적으로 몸을 빼내며 의식이 진행되기를 기다렸다. 셰어든으로 넘어와서 처음 치르는 의식이기 때문인지 다들 부산스럽게 움직이고 있었다.

"후, 다행히 아직 시작하지 않았구나."

"어…… 어머니?"

그러던 중, 길드 하우스의 정문이 열리고 그 너머로부터 여성 호위 기사 한 명만을 대동한 채 에반의 어머니인 셰어든 제1부인 레디네 디 셰어든이 들어왔다.

그녀의 기척을 감지한 에반은 어안이 벙벙해져 그녀를 바라보았다.

"어머니, 여긴 어떻게 오셨어요?"

"그야 벨루아에게 얘기를 들었으니까 왔지. 그러는 너는 그 아이를 길러 낸 게 나인데 이 중요한 의식에도 부르지 않으려고 했던 거니? 서운하게."

에메랄드를 녹여 만든 듯한 그녀의 눈동자가 길드 하우스 이곳저곳을 훑더니 이내 보기 좋게 기울어졌다. 그녀의 시선을 받은 마녀들은 기겁하며 날뛰고 있었다.

"꺅, 그분이 오셨어!"
"직접 오셨다고!?"
"이럴 줄 알았으니까 빨리 준비하자고 한 건데, 바보들!"

그러고 보면 처음 마녀들이 셰어든에 터를 잡았을 때, 레디네가 직접 마녀들의 기강을 잡은 적이 있었더랬다.
대체 레디네의 정체가 무엇이기에…… 아니, 그건 이제 어느 정도 짐작은 하고 있지만.

"그래도 준비는 제대로 하고 있는 것 같네. 그 아이가 룬을 제대로 받을 수 있을지 걱정했었는데…… 이대로라면 문제는 없겠어."
"한번 둘러본 정도로 파악이 되는 거구나, 그게……."
"이런. 오셨습니까, 마님."
"오랜만이에요, 멜로니아."

벨루아를 치장시키는 데에 여념이 없을 터인 멜로니아가

어느덧 준비실에서 나와 레디네에게 인사를 하고 있었다. 둘이 서로를 부르는 호칭에는 신경을 쓰지 않기로 했다.

"벨루아는 어디에 있나요?"
"마침 좋은 타이밍에 오셨습니다, 마님. 벨루아는 이미 의식장으로 향했습니다."

그렇다는 것은…… 옆에서 얘기를 듣고 있던 에반이 눈을 빛내자 그것을 예측이나 한 듯 멜로니아가 그를 돌아보며 고개를 끄덕여 주었다.

"에반 공자도 오래 기다렸어. 모든 준비가 끝났으니 지금부터 벨루아의 성인식을 시작하지."

본래 마녀의 성인식에 마녀를 제외한 다른 이는 설령 마을의 구성원이라고 해도 참여할 수가 없다는 모양이지만 에반만은 거기서 예외가 되었다.
제각기 불을 붙인 초를 든 마녀들 사이에 섞여 의식을 위해 준비된 지하 공간으로 내려가며 에반은 어쩐지 자신이 사교도가 된 것만 같은 기분에 휩싸였다.

"에반은 초를 들지 말고 뒤에서 묵묵히 따라오렴."
"그거 다행이네요."

그렇게 말하는 레디네의 손에도 어김없이 불이 붙은 초가 들려 있었다. 새파랗게 타오르는 초의 불꽃이 유독 신비로워 보였다. 분명 의식을 위해 준비된 마법 물품일 것이다.

"도착했다."

지하에는 에반이 설치한 기억이 없는 거대한 철문이 떡하니 버티고 서 있었다.

멜로니아가 손을 까딱이자 그것이 열리며 좌우로 밀려나며 거대한 의식장 내부의 정경이 드러났는데, 그곳에는 섬세하게 그려진 마녀의 마법진이 바닥과 벽, 천장을 가득 메우고 있었다.

"아……."
"예뻐라."

시야에 한 번에 담지 못할 정도로 방에 가득 찬 마법진……
그 중앙에 가만히 서 있는 벨루아의 모습이 있었다.

마녀들의 도움을 받아 화장을 한 것일까, 유독 화사해진 그녀의 얼굴이 에반의 망막에 깊이 새겨졌다.

원래 화장을 하지 않아도 예쁜 벨루아이기에 지금 모습이 더욱 강렬하게 느껴졌다. 화장을 안 해도 예쁘다는 것은 하면 더욱 예뻐진다는 뜻이다. 그 진리를 오늘 깨달았다.

'젠장, 예쁘잖아······.'

그뿐만이 아니다. 오늘을 위해 준비한 나풀거리는 새하얀 드레스, 그 위에는 어스트레이 나이츠의 인장이 박힌 망토를 둘렀다.

어느덧 성숙해져 버린 그녀의 육신을 감싸는 드레스가 에반의 시선을 빼앗아 돌려주지 않았다.

만지면 터질 것처럼 크게 부풀어 오른 흉부, 그것을 지탱하기엔 지나치게 가녀린 허리······.

몸의 라인을 어느 정도 감춰 주는 하녀복과는 달리 몸에 착 달라붙는 드레스는 그녀의 요염한 몸매를 고스란히 드러내고 있었다.

평소 바니걸 차림의 디오나와 지내며 여성의 신체에도 익숙해졌다고 생각했는데 지금은 그런 자신이 우습게 느껴질 정도다. 도저히 벨루아에게서 시선을 떼어 낼 수가 없었으니까.

어쩌면 대상이 벨루아이기 때문인지도 모른다. 디오나가 들으면 제대로 삐질 것 같지만 사실이기에 어쩔 수가 없었다.

"······공자도 참 너무하지."
"차라리 우리도 벗을까?"
"쉿, 의식에 집중해!"

에반의 노골적인 시선을 깨달은 마녀들이 벨루아가 부럽다며 투덜거리면서도 의식을 개시했다.

차례대로 들고 온 초를 마법진 곳곳에 배치하고, 멜로니아가 가장 앞으로 나와 벨루아와 대치했다.

"태어난 곳은 다르지만 분명한 우리의 동포, 신의 피를 받아 이은 마녀의 일인 벨루아의 룬의 의식을 거행한다."

"그녀가 서는 곳에."

"신의 핏방울이 흐른다."

그녀의 주도에 따라 마녀들이 저마다 알 수 없는 주문을 외우기 시작하는 것이 정말 게임에 나올 듯한 악마 소환의식 그대로였다.

'정말 악마라도 튀어나오는 건 아니겠지……'

차마 그런 황당한 말을 입 밖에 낼 수 없어 에반이 가만히 지켜보고 있자니 그의 마음을 눈치채기라도 한 것인지 그의 옆에 서 있던 레디네가 빙긋이 웃으며 그를 다독여 주었다.

"잘되고 있으니 걱정할 필요 없단다."

"뭐 그렇겠지만요……."

레디네는 초를 놓은 후로는 에반처럼 의식에서 조금 물러나와 가만히 바라보고 있었다.

평소엔 감정 표현이 확실한 그녀이지만 지금은 속내를 알 수 없는 눈으로 그저 벨루아를 가만히 바라보고 있을 뿐.

아니, 어쩌면 한 번에 너무 많은 감정을 느낀 나머지 차라리 무표정한 것처럼 느껴지는 것인지도 몰랐다.

'어머니는 아마 지금 힘을 쓰지 못하는 상황이겠지.'

단순히 그녀가 자신을 드러내고 싶지 않아 힘을 감추고 있을 것이라는 생각을 한 적도 있었다.

하지만 그녀가 사랑하는 남편과 다른 무수한 사람이 위기에 처했던 마족 대공습 당시에도 마법을 쓰지 못했던 것을 보면 '힘을 감추고 있다'고는 이해하기 어려웠다.

그러니 특별한 제약이 걸려 있다고 보는 쪽이 타당할 것이다. 그렇게 생각하면 요마대전3 내에서 그녀가 특별한 힘을 쓰지 않고 조용히 퇴장했던 것도 이해할 수 있다. 어쩌면 그것도 요마대전5를 위한 복선이었던 것이 아닐까.

"에반."
"응?"

그때였다. 레디네가 자신에 대한 생각을 하고 있다는 것

을 알기라도 하다는 듯이 갑자기 그의 손을 세게 잡아 온 것
이다.

"네가 저 아이를 구한 것은 정말 잘한 일이란다."
"노예 시장에서 샀을 뿐 구했다고는 할 수 없지만요."
"너는 저 아이를 노예로서 산 것이 아니었잖니."
"그야 그렇지만."

그녀가 지닌 터무니없는 잠재력을 알고 있었기에, 그녀가
엇나가지 않고 똑바로 자라나 자신에게 도움이 될 수 있도록
한 것이다.

……아니, 아니다. 실은 그녀가 게임 속에서 혈안마녀가 겪
었던 슬픈 일들을 겪게 놔두고 싶지 않았을 뿐이었다.

순수하게 자신의 안전만을 고려했다면 그녀를 받아들이는
일은 없었을지도 모른다. 그것을 에반은 비로소 인정했다.

그러니까 그는 처음부터 벨루아에게 반해 있었다는 뜻
이다.

"앞으로도 벨루아를 소중히 아껴 주렴."
"그야 물론이죠."
"내가 아들은 참 잘 키웠지."

에반의 즉답에 레디네가 실로 만족스러운 웃음을 흘렸다.

마침 그때였다. 의식이 최고조에 이르러, 지하 공간을 가득 뒤덮고 있던 마법진이 일제히 빛을 토해 내기 시작했다.

"아, 아아……!"
"신의 힘이 내려온다. 눈부시도록 거대한 힘이!"

룬의 의식이 거행된 것이다.

마녀들의 설명에 따르자면 '지상에 신이 내려오는' 바로 그 순간, 눈부시도록 푸르고 붉은빛이 방을 가득 채웠다.

일찍이 인간의 한계를 초월한 에반이라 해도 그 빛을 꿰뚫어 보는 것은 불가능했다. 그는 괜히 애쓰지 않고 눈을 감고는 가만히 생각했다.

'결국 신들이 룬의 힘을 부여해 주는 것이라면 여태껏 벨루아가 던전에서 활약한 것을 기반으로 룬을 줄 수도 있는 것이 아니었을까.'

룬의 힘을 육신에 받아들일 수 있는 것은 순수한 마녀들뿐이다.

이전 에반도 던전에서 세운 업적에 따라 신들에게 룬을 보상으로 받은 적이 있지만, 그때는 그의 몸이 룬을 받아들일 수 없기에 그가 가지고 있던 장갑에 대신해 룬이 새겨져 그것이 고급 아티팩트로 화했던 경험이 있는 것이다.

'하지만 벨루아도 충분히 활약했는데. 더구나 함께 70층까지 돌파하기까지 했지.'

그녀는 에반이 던전에 들어갈 때면 대체로 함께하고 있었으며, 활약 또한 에반에게 크게 뒤지지 않을—물론 에반이 던전에서 매번 당연하다는 듯이 까발리는 비밀들이 지닌 업적의 크기가 상당하다는 모양인지라 그를 뛰어넘는 것은 불가능하다고 하지만—것이다.

그렇다면 이미 던전에서 신들에게 룬을 받아도 진즉 받았어야 하는데 왜 여태껏 그런 적이 없을까.

혹시 던전에서 얻는 룬과 마녀의 성인식을 통해 얻는 룬에는 그만큼 큰 차이가 나기라도 하는 걸까?

"어떻게 생각해요, 어머니?"

빛이 조금씩 희미해지고 있어 옆에 선 사람의 윤곽 정도는 확인할 수 있었다.

에반이 자신이 생각한 것을 얘기하며 의견을 묻자 레디네는 자그맣게 웃음소리를 냈다.

"아들 생각이 맞아. 차이가 나지. 단 차이가 나는 건 룬이 아니라 그 룬을 주는 존재란다."

"아⋯⋯."

과연, 신들이 룬의 힘을 다룰 수는 있지만, 그것을 특정한 존재의 육신에 새기는 것은 또 다른 문제라는 얘기였다.

　그러니 던전에 머무르는 신들은 마녀의 육체라고 해도 직접 룬을 부여할 힘은 없다고…….

　에반도 비로소 그 사실을 깨닫곤 고개를 끄덕였다. 그렇다는 것은 마녀 종족을 만들어 낸 신은 '던전 밖의 신'일 가능성이 높다.

　"전 모든 신이 던전에 관여하는 줄 알았는데요."

　"어머, 그러면 바깥세상은 누가 관리하겠니."

　"그것도 그렇네요…… 으음."

　어머니는 아무렇지도 않게 대부분의 인간들이 잘 모르고 있을 법한 얘기를 늘어놓고 있었다.

　심지어 요마대전 시리즈에 정통한 에반조차 '던전 밖의 신'들에 대해선 잘 모르고 있었는데…….

　에반이 어머니를 가만히 바라보고 있자니 곧 그녀도 자신의 실언을 깨닫곤 눈을 동그랗게 떴다.

　"이건 비밀이야, 알지?"

　"비밀로 해 드린다고 약속하면 더 자세히 얘기해 주실 거예요?"

　"아니."

단호한 어머니의 대답에 단단히 삐진 에반이 볼을 살짝 부풀리며 고개를 돌렸다.

열여덟 살이나 먹은 남자의 귀여운 척이라니 보통은 이맛살이 찌푸려지겠지만 이상하게도 에반이 하면 그것이 너무나 어울리고 귀여웠다. 볼을 꼬집어 주고 싶을 정도였다.

자신이 낳아 놓긴 했지만 에반을 볼 때마다 정말 외모가 전부라는 생각을 하게 되는 레디네였다.

"어라, 그러고 보니."

아들의 삐진 얼굴이 잘 보인다는 것은 빛이 완전히 사그라졌다는 것. 레디네는 바로 빛의 진원, 벨루아에게로 고개를 돌렸다.

그것을 눈치챈 에반 역시 벨루아에게 시선을 주었다. 의식을 주관한 마녀들은 이미 벨루아를 보며 제각기 감탄사를 흘리고 있었다.

"아……."

"저 룬은."

벨루아의 눈높이에 찬란한 빛을 뿌리는 주먹 크기의 문자가 떠올라 있는 것이 에반의 눈에도 보였다.

데빌 룬을 연구하며 동시에 룬에 대해서도 깊은 연구를 거친 에반이기에 그 문자가 무엇인지는 바로 알 수 있었다.

"역시 엘더 푸사크야……. 당연히 그럴 거라고 생각은 했지만."

"셀룬과 멜로니아를 포함해 단 네 명뿐이었는데, 재능이 뛰어나다곤 해도 외부의 마녀가 엘더 푸사크 24룬의 한 줄기를 잇다니."

"그분의 직전 제자인데 오히려 당연한 것 아냐? 게다가 마나즈잖아."

"아아, 마나즈. 그렇네. 정말 그래."

"불의 룬 케나즈kenaz나 얼음의 룬 이사isa까지는 예상했었는데, 설마 그것마저 뛰어넘을 줄은 말이지."

엘더 푸사크Elder futhark 24문자에 속하는 결합과 조화의 룬 마나즈mannaz.

역사 속에서 룬은 많은 갈래로 나뉘며 무수한 하위 룬을 만들어 냈지만, 마나즈는 그중에서도 시초의 룬에 속한다.

참고로 에반의 장갑 검은 구름에 새겨진 룬 '제라' 또한 그 특별한 24문자 중 하나에 속해 있었다.

"결합과 조화…… 홀로는 완전하지 못하지만 타인과의 교류와 타협을 통해 비로소 사회를 구성하게 되는 존재, 즉 인간을 상징하는 룬이구나."

"저도 그렇게 알고 있기는 한데."

벨루아가 얻은 룬을 보며 마녀들이 이곳저곳에서 속닥이는 가운데, 레디네는 마녀들에게 뒤지지 않을 만큼 흥미롭다는 듯한 표정으로 룬을 바라보고 있었다.

"역시 강한 아이야. 설마 마나즈의 주인이 될 줄이야. 어느 정도 이렇게 될 거라고 기대는 했는데, 정말 그렇게 됐구나."

"특별한 룬이에요? ……마녀들 중에서는 셀룬이 다루는 물의 룬 라구즈가 가장 특별하다던데."

어떤 의미로는 사용자가 직접 만들어 나가는 문자라고 할 수 있는 데빌 룬과는 달리 룬은 신대에서부터 이어진 힘. 쉽게 말하면 족보가 존재하는 힘이었다.

역사란 그것만으로도 힘을 갖는다. 데빌 룬에 없는 깊이를 벨루아의 룬은 가지고 있을 것이다. 에반이 기대감에 눈을 빛내자 레디네는 쓴웃음을 지으며 솔직히 답해 주었다.

"글쎄, 룬은 결국 상징이며 가능성에 지나지 않는단다. 그 어떤 룬을 다루든 사용자의 마나와 의지, 풍부한 상상력이 그 룬의 위력을 결정하지. 하지만…… 그래, 사용자를 배제하고 오직 룬만을 놓고 서열을 매긴다면 나는 저것을 가장 높이 치고 싶구나."

"마나즈, 인간의 룬……."

에반이 룬의 이름을 입안에서 되뇌는 가운데 레디네는 아직까지 눈을 감고 룬과 공명하고 있는 벨루아의 모습을 가만히 바라보았다.

저 아이가 마나즈의 진정한 힘을 끌어낼 수 있을까. 그 룬의 주인으로서, 신으로부터 인간에게로 이어져 오롯이 인간만을 뜻하는 저 룬을 이해하고 받아들일 수 있을까…….

'음, 그야 얼마든지 가능하겠지.'

다른 누구도 아닌 레디네의 제자이기에, 벨루아는 반드시 성공할 수밖에 없다.

그리고 그렇게 되면 그 아이는 비로소 또 하나의…….

"도련님!"

레디네가 벨루아의 미래에 대해 상상하며 흐뭇한 웃음을 짓던 중, 그녀의 상념을 끊어 버리듯 한 줄기 바람이 그녀의 뺨을 스치고 지나갔다. 벨루아가 내달리며 가볍게 인 바람이었다.

"도련님…… 도련님!"

"루아…… 흐, 그래."

룬을 체내에 완벽히 받아들이고 비로소 눈을 뜬 벨루아가,
평소의 그녀에게선 찾아볼 수 없을 만큼 흥분한 나머지 다른
마녀들의 시선을 의식하지 않고 그대로 에반에게 달려들어 안
긴 것이다.

"축하해, 루아."

"고마워요, 도련님……!"

에반의 품에 안긴 벨루아는 그의 목덜미에 뺨을 비비며 작
은 강아지 같은 목소리를 냈다. 극적인 변화에 에반도 어리둥
절해졌다.

"뭐가 고맙다는 거야, 루아."

"전부, 전부 고마워요……."

그는 자신의 생각보다도 마녀의 성인식이 벨루아에게 갖는
의미가 컸다는 것을 비로소 깨닫곤 그녀를 보다 깊숙이 품에
껴안아 주었다.

그녀가 이전 성인식에 대해 얘기했던 것도 전부 지금 이 순
간을 위해서였으리라.

"아니 지금."

"텄어, 안 듣고 있어."

그 둘의 모습에 여태껏 그녀를 가르쳐 왔던 레디네는 물론 의식을 도와준 마녀들도 어이가 없었지만 그녀의 마음도 이해할 수 없는 것은 아니었으니, 지금은 굳이 태클을 걸지 않기로 했다.

"본래 의식의 마무리가 조금 더 남아 있지만…… 아무래도 지금은 소용이 없겠네. 에반 공자, 그녀를 데리고 가도록 해. 내일 일찍 길드 하우스에 들르게 하고."

"얘가 정말 나는 눈에 보이지도 않나 보네. 그래도 스승 겸 시어머니 될 사람인데……."

모든 것을 포기한 표정의 멜로니아, 그 옆에서 살짝 입술을 삐죽이는 레디네.

에반은 그 두 사람의 말이 전혀 들리지 않는 듯 그의 목덜미에 자국을 남길 기세로 얼굴을 문지르고 있는 벨루아를 보며 쓴웃음을 지었다.

"루아가 정말 많이 기뻤나 봐요. 원래 이러지 않는데."

"특별한 룬이니까. 아니, 지금 보니 그건 상관없었으려나."

"벨루아 부럽다. 내 룬도 엘더 푸사크인데 에반 공자한테 안겨도 될까?"

"셀룬, 너무 집착하는 여자는 인기 없대."

멜로니아뿐만 아니라 다른 마녀들도 곳곳에서 키득거리며 한마디씩 던졌다. 그러나 벨루아는 관객들의 야유에도 불구하고 꿋꿋이 에반의 품에 안겨 있었다.

그 모습을 본 레디네가 눈을 초승달처럼 기울이며 웃음소리를 냈다.

"지금 너희 모습을 보고 있으니 내가 네 아빠랑 처음으로 술을 같이 마셨던 날이 떠오르는구나."

"어라, 마녀의 성인식에 대해 얘기하실 줄 알았는데."

"조금 다르단다. 그날은 내가 네 아빠를 처음으로 덮쳤던 날이거든. 그리고 보아하니 오늘은 벨루아가 너를 덮칠 것 같구나."

"……."

에반의 얼굴마저 붉어졌다. 정말 그녀의 말 그대로 될 것 같았기 때문이다.

어째서 이 세상의 여성은 모두가 이렇듯 적극적이란 말인가! 혹시 이것이 우주의 섭리인가!

"내 생각엔 그날 에릭이 들어선 것 같아."

"그렇게 적나라한 얘기를 듣고 싶지는 않았어요……."

여기 더 있다간 레디네를 비롯한 마녀들의 성희롱에 에반의 수치심이 남아나질 않을 것 같았다. 에반은 어휴, 한숨을 내쉬며 벨루아에게 말했다.

"가자, 루아."
"네, 같이 나가요…… 꺅?"

벨루아의 대답을 듣는 대로 그녀를 양팔로 들어 안았다.
그녀를 공주님처럼 소중하게 안아 든 채 그대로 자리를 뜨려다가, 여전히 같은 모습으로 히죽거리고 있는 마녀들을 돌아보며 말했다.

"성인식에 대해서는 다들 당분간 비밀로 해 둬요. 발설하는 사람하곤 다시는 안 볼 거니까 그렇게 알고."

이미 늦었겠지만 마녀들의 입이라도 막지 않으면 정말 되돌릴 수 없는 사태가 일어나게 될 것이다. 에반의 경고에 마녀들이 재차 킥킥거렸다.

"정말 두려운 협박을 하네."
"내 마음의 일기장에만 적어 놓을게. 에반 공자의 기념비적인 날로."

"시끄러!"

"에반 공자, 벨루아 다음은 나, 나 예약해 줘!"

"예약 안 받아!"

그는 소란스러운 마녀들을 재차 조용히 시키며 최대한 은밀하게 핏빛 사과 길드 하우스를 빠져나왔다.

시간은 이미 늦은 밤. 다행히도 그믐인지라 도시도 제법 어두웠다. 샤인 정도는 아니어도, 에반 역시 작정하고 은밀하게 움직이면 어지간한 탐험가들에게는 들키지 않을 것이다.

"도련님, 내려 주세요."

"아니, 내 방까지 이대로 갈 건데?"

"하지만 이 모습을 다른 이들에게 들키면……."

"뭐 어때, 루아 네가 말했던 대로 이제 우리 둘 다 '성인'인데. 난 당당해."

"도, 도련님."

에반의 당당한 선언에 벨루아가 뺨을 새빨갛게 물들였다. 가뜩이나 거세게 두근거리고 있던 그녀의 심장에 크리티컬 히트!

'물론 들킬 생각은 없지만 말이지……. 오늘 낮과는 비교도

안 되는 소동이 일어날 텐데 그런 꼴을 겪었다간 분위기고 뭐고 다 날아갈 거야.'

사실은 레디네의 말에 자극을 받은 에반이 자신만은 '덮쳐졌다'는 오명을 뒤집어쓰지 않기 위해 일부러 강하게 행동하고 있을 뿐이었지만 그 동기를 모르는 벨루아의 눈에는 그런 그의 모습이 더없이 늠름하게 비쳐 보일 뿐이었다.

"도련님…… 바보오."
"루아가 그런 말을 하면 신선하게 들려서 좋네."

에반은 킥킥 웃으며 발을 놀렸다.
세어든의 밤거리는 왕도 못지않게 북적였지만, 에반은 다른 이들에게 들키지 않겠다는 일념으로 필사적으로 발을 놀려 끝내 누구에게도 들키지 않고 제 방에 도달할 수 있었다.
그리고 벨루아는 방에 도착하자 자신이 오늘 획득한 룬의 힘까지 총동원해, 완벽한 결계 마법을 설치했다.
완벽한 밀실의 탄생이었다.

❋ ❋ ❋

에반은 자신이 어스트레이의 그 누구에게도 들키지 않고

복귀했다고 믿었지만······ 놀랍게도 이 세상엔 그의 상상을 웃도는 능력자도 있는 법이었다.

그래, 이 세상에 아마도 딱 두 명 정도.

그중의 한 명이 어스트레이 본부에 있었다.

"그런가요······ 오늘이겠군요."

사전에 벨루아의 성인식에 대한 얘기를 듣지 못했던 하이엘프 미로엘은 오늘 에반이 늦는다는 생각과 함께 로비의 소파에 앉아 가만히 그를 기다리다가, 벨루아를 품에 안아 든 채 아무도 몰래 본부 건물로 잠입한 에반이 특급 어쎄신 못지않은 은밀하고 빠른 움직임으로 방 안에 들어가는 것을 보곤 가만히 중얼거렸다.

곧 그 방 전체에 강대한 마도의 권능이 서려 완벽한 결계를 형성하는 것을 본 그녀는 욱하는 마음에 본능적으로 그 방향으로 손을 뻗었으나, 이내 필사적으로 그런 자신을 뜯어 말렸다.

'스스로를 고문하는 취미는 없으니까.'

지금 저 사람들을 방해한다고 뭐가 달라지겠는가? 자신만 못나 보일 뿐이다.

저 둘은 잘 어울리는 커플인 반면 지금의 그녀는 아무리 좋게 봐 줘도 방해꾼에 지나지 않는 것이다. 지금의 그녀는 말이다…….

"……으응, 그래도 제가 할 일을 해야겠죠."

하이엘프는 누구에게도 들리지 않게 나직이 중얼거리며 차가운 한숨을 토해 내곤, 어디로 갈지 망설이는 듯하다가 이내 자신의 방으로 향했다.

방금 에반과 벨루아가 돌아온 것을 아는지 모르는지 본부는 무척이나 고요했다.

항상 자신을 견제하곤 하던 아리샤의 방에라도 쳐들어가 지금 네가 사랑하는 에반이 누구와 무엇을 하는지 아느냐고 외치며 괴롭혀 주고 싶었지만 자신의 괴로움을 전염시키려는 발악에 불과하다는 것을 깨닫고 곧 그런 생각도 그만두었다.

'아무래도 마음이 안정되질 않아. 내 잘못은 아니지만, 그런 생각을 품었다는 것만으로…… 죄스러워. 고대의 숲에 있는 사람들이 보면 놀라겠지.'

맨정신으로 있고 싶었지만 무리였다. 지금 그녀에게는 술이 필요했다.

즐거울 때보다 슬프고 괴로울 때 술을 찾게 되는 것은 그가 남긴 좋지 않은 습관이었다.

"으음……."

미로엘은 마시기도 전부터 취한 것처럼 살짝 흔들거리며 복도를 가로질러 자신의 방 문을 열고 들어가, 방 한구석에 있는 작지 않은 크기의 금속 상자로 다가갔다.

그것은 바로 소형 와인 셀러였다. 에반이 형제 와이너리의 런칭과 더불어 야심 차게 준비한 마도구로, 형제 와이너리에서 생산하는 모든 와인을 완벽한 환경에서 보관할 수 있게끔 치밀한 설계를 한 만큼 무척 비쌌다.

"……훗."

그녀는 그 안에서 와인, 정확히는 형제 와이너리에서 보급형 꿀딸기주와는 달리 최상위 모험가, 귀족들에게 팔려는 목적으로 생산한 고급 와인을 꺼냈다.

딸기 중 품질이 좋은 것만 엄선해 꿀과 함께 발효한 것에, 실크라인에서 굉장히 유명한 고급 브랜디를 첨가해 도수를 높인 와인.

최상위 연금술사답게 완벽한 비율로 주정을 섞어 만든 이 강화 와인은 에반이 '셰어든 와인'이라 명명한 것으로, 감히 장담컨대 여태껏 이 세상에 없었던 세련되고도 고급스러운 맛을 자랑했다. 무수한 세월을 살아온 하이엘프의 입맛도 사로잡을 정도로.

'그 때문에 상처를 입고, 그것을 달래려 그가 만든 마도구에 보관된, 그가 만든 술을 탐하다니…… 이처럼 우스운 일이 또 있을까?'

미로엘은 자조하며 병과 와인 잔을 들고 발코니로 향했다.
발코니가 달린 방은 그녀의 방을 제외하고도 무척 많지만, 시간이 한밤중인지라 굳이 발코니 밖에까지 나와 청승을 떨고 있는 사람은 없었다.

"아……."

방 안에 있을 때만 해도 자신이 기사단과 하나가 되어 있는 듯한 기분이었는데, 돌출된 외부 공간으로 나오니 갑자기 거기서 뚝 떨어져 나와 세상에 홀로 남게 된 것만 같았다.
지금은 그 고독감이 차라리 반갑다. 다른 이가 눈앞에 있다면 이 형언할 수 없는 울화를 부조리하게 토해 낼 것 같았으니까.
잠시 발코니 난간 위에 걸터앉아 불어오는 밤바람을 맞고 있던 미로엘은 곧 바람 속에 섞여 희미하게 들려오는 남자와 여자의 달뜬 목소리에 안색이 굳고 말았다.

"……들려오는걸."

그럴 생각으로 발코니 밖으로 나온 것은 아니었는데.

그녀는 오랜만에 자신의 밝은 귀를 저주했다.

아무리 그래도 그 대단한 마녀의 결계마저 무시하고 소리를 캐치하는 건 또 무어란 말인가.

이런 소리까지 듣고 싶지는 않았는데.

"후으……."

내 잘못도 아니고 분명 그의 잘못도 아닌데 마음이 답답했다.

누구에게도 잘못을 물을 수 없으니 대신 술에게 물을 뿐.

그녀는 바람의 정령에게 부탁해 코르크 마개를 뽑아내고, 잔에 와인을 콸콸 따랐다.

와인을 따르는 법이나 채우는 정도에도 모두 정해진 방식이 있다고 하지만, 인간의 방식은 알 바 아니다.

'향기가 좋아. 꼭 그에게서 나는 냄새처럼 향긋해.'

그녀는 와인 한 모금과 함께 머릿속에 떠오른 그 말을 꿀꺽 삼켰다.

그에게는 아직 하지 못하는 말이다.

아직은, 절대로.

'그는 나를 이해하지 못할 거야. 그러니 내가 버려진 여자처럼 그를 원망하는 것은 이치에 맞지 않아. 하지만⋯⋯.'

스스로의 사고방식이 불합리하다는 것을 알면서도 그가 원망스러운 마음을 어찌할 도리가 없다.

지금까지는 세상 물정 모르는 제멋대로인 하이엘프 공주님의 변덕으로 어찌 위장했어도, 이 이상은 정말로 위험하다는 것을 아는데.

하지만, 그래도.

"분해⋯⋯."

끝내 입 밖으로 한마디가 흘러나왔다. 말이 새면서 눈물까지 약간 새었는지, 시야가 뿌옇게 물들었다.

오랜 세월을 살아온 영원한 엘프의 공주, 하이엘프가 눈물을 흘린다니 그 누구도 믿지 않으리라. '그'를 제외하고는.

'안 돼, 이제 곧 시작될 거야. 눈물이나 흘리고 있을 시간이 없어.'

그녀는 고개를 저어 그것을 모두 털어 내곤 남은 술을 단숨

에 마셨다. 허공에 잔을 내던져 버리고, 와인 병에 입을 대고
술을 마셨다.

"……아."

그렇게 눈물을 떨쳐 내고 정상으로 돌아온 그녀의 시야
에…… 어느덧 그믐달이 이지러지는 모습이 보였다.

[이런, 깨어 있는 사람이 있었네.]

그녀의 귓가에 명랑한 여성의 목소리가 들려왔다.
동성인 것을 알면서도 절로 홀리게 되는, 색기 넘치는 마성
의 목소리였다.

[내 꿈에 저항하다니 놀라워.]
"……기다리고 있었으니까요."

이 밤 어딘가에 녹아들어 있을 목소리의 주인을 향해 미로
엘이 나직이 대꾸했다.
그래, 처음부터 그녀는 오직 이 순간만을 기다리고 있었다.
그를 떠올리며 눈물짓던 것은 계획에 없던 일이었지만.

[이럴 리가 없는데…… 참 신기하네. 그를 침식한 세계의

저주에 내 힘을 섞어, 분명 일대를 완벽한 꿈에 빠지게 했는
데. 끔찍이도 공들여 세운 작전이었는데.]

"훌륭한 솜씨였지만요, 서큐버스 퀸."

어째서 작전에 실패한 이들은 제 입으로 그 내용을 줄줄이
부는 것일까.

늘 그것을 진지하게 궁금해하는 이가 있었다. 그의 모습을
떠올린 미로엘은 다행히도 더 늦기 전에 보다 나은 표정을 짓
는 데에 성공했다.

"만약 제가 없었다면 훌륭하게 성공했을 거예요. 그 본인이
아니라, 그가 짊어진 저주를 공략한 부분도 좋았지요. 하지만
한 가지 실수를 한 게 있다면, 그건 당신이 제 존재를 제대로
알지 못하고 있었다는 거예요."

[……큭.]

정곡이겠지. 그도 그럴 것이 에반은 정말 극소수의 인원을
제외한 그 누구에게도 미로엘의 진정한 정체를 밝히지 않고
있었으니까.

미로엘은 진정한 의미에서 에반의 히든카드였다. 물론 에
반은 단지 일이 복잡해지는 것이 싫어 그녀를 숨겼을 뿐이었
지만.

"그냥 돌아간다면 해하지는 않겠어요, 서큐버스 퀸. 그러니 물러나세요. 그에게는 손을 댈 수 없습니다."

에반은 지금 미로엘이 자신을 지키고 있다는 사실은 꿈에도 모를 터였다.

제아무리 그가 대단하다 해도 세상 모든 신비를 파악하고 있지는 못했으니까. 미로엘은 처음부터 그런 부족한 부분을 채워 주려 에반에게 온 것이었다.

혼원계? 균열? 그런 건 어디까지나 부가적인 이유에 불과했다. 미로엘은 단지 에반을 지키기 위해, 그의 곁에 있기 위해 셰어든에 온 것이다.

……결코 그에게 솔직히 말할 수는 없지만.

[어머나, 그럼 당신은 짝사랑을 떠나보내고 청승맞게 울고 있었던 게 아니라 그의 신혼방을 지키는 충견이 되어 있었던 거야?]

미로엘이 '서큐버스 퀸'이라 칭한 여성의 자극적인 목소리가 그녀의 귓가로 파고들었지만, 이것이 마족의 흔한 수법이라는 것을 알고 있는 미로엘은 동요하지 않았다.

그녀의 말이 맞았다. 미로엘이 굳이 발코니에 나와 있었던 것은 '무방비한' 상황에 처한 에반과 벨루아 대신, 그녀가 그를 지키기 위해서였다.

"천박한 도발이네요. 셈에 실수한 것이 화가 났나요?"

[……]

그녀는 서큐버스 퀸이 오늘 찾아올 것을 알고 있었다. 정확히는, 서큐버스 퀸이 에반이 동정을 잃는 순간을 노리고 있었다는 것을 알고 있었다.

희생양을 노리는 서큐버스 퀸이 가장 강해지는 타이밍. 제물이 되는 에반이 가장 약해지는 타이밍. 그런 그를 마법으로 수호해야 할 벨루아가 무방비해지는 타이밍.

그것이 바로 지금 이 순간이었고, 그것을 알고 있기에 미로엘이 나섰다. 밤바람을 타고 희미하게 들려오는 둘의 끈적이는 목소리를 들으면서도 꿋꿋이 버티고 있었던 이유였다.

[후…… 좋아, 내 실패를 인정할게. 그렇다고 물러날 수는 없어. 너, 원한다면 지금부터 나와 함께하지 않을래? 그렇게 혼자 술만 마시고 있는 것보다는 이쪽이 훨씬 즐거울 거야.]

"그래 봤자 꿈이라면 필요 없어요."

[후, 괜한 걱정을. 서큐버스가 꿈을 지배한다면, 퀸은 꿈을 지배해 현실을 잠식할 수 있어. 원한다면 모두 현실로 가져올 수…….]

"미안하지만 그 이상의 허세는 통하지 않아요."

그쯤에서 미로엘이 딱 잘라 말했다.

"내가 막지 않았다 한들 그를 뜻대로 조종할 수는 없었을 거예요. 그의 항마력과 저주 내성을 우습게 보고 있나요?"

[하지만 뚫을 수 있다는 것은 이미 확인했는걸?]

"그 정도론 그를 뜻대로 할 수 없어요. 단지 그에게 무시하지 못할 피해를 입히고, 그의 짝에게 끔찍한 상처를 남긴 후, 당신은 그 대가를 치러 소멸하게 될 뿐이겠죠."

미로엘이 말을 마치자 그 자리에 침묵이 흘렀다.

그녀가 꿈의 주인을 무시하고 병에 남은 술을 마시고 있자니 곧 살짝 떨리는 목소리가 다시 그녀의 귓가를 울렸다.

[꼭…… 결과를 보고 오기라도 한 것처럼 말하네.]

"글쎄요."

밤 속에 흩어져 있어 얼굴도 확인하지 못할 터인 상대방의 표정이 눈앞에 훤히 보이는 듯하다. 미로엘은 보다 짙은 미소를 입가에 띠며 말을 이었다.

"하지만 당신도 알고 있었을 거예요. 계획은 아무리 완벽해도 불완전하고, 결국 본인만 소멸하는 결과를 낳게 될 것이라는 사실을."

[……]

"그러니 결국 당신은 이 자리에 자살을 하러 온 거죠. 아닌가요?"

[그래서, 그렇다면? 자살은 나쁘다고 날 말리기라도 할 셈이야? 유감이네, 나는 마신의 명을 받고 있거든! 그것을 거부하는 방법은 없어. 거부해도 결국 죽게 될 뿐이야⋯⋯!]

마신은 모든 마족에게 있어서 절대적인 지배자. 특히나 마신의 힘이 직접 주입된 존재들은 마신의 뜻대로 움직이는 인형이나 다름이 없었다.

미로엘은 그것을 잘 알고 있었다. 마신을 거부하면 죽게 된다며 소리 지르고 있는 이 서큐버스 퀸 또한 그런 경우일 것이다.

[이제 다 알았으면 비켜. ⋯⋯그를 만나러 가야겠어.]

"말했지만, 보내지 않습니다."

[네가? 하이엘프라는 것은 알겠지만 서큐버스 퀸을 우습게 보지 마. 요마왕도 나를 무시하진 못해.]

"그렇군요, 하지만 저는 요마왕 따윈 안중에도 없어요. 꿈에 걸려들었다면 모르되 간파한 이상 당신은 제 적이 되지 못합니다."

[큭⋯⋯!]

그 순간, 서늘한 밤공기가 돌연 미로엘의 목을 조여 오기 시작했다. 이 공간 일대가 서큐버스 퀸의 통제하에 놓여 있었다.

하지만 바로 다음 순간 그것은 시작되었을 때만큼이나 허무하게 사라졌다. 단순한 이유다. 미로엘의 힘이 이 공간 전체를 가뿐히 이겨 낼 수 있을 만큼 강했던 것이다.

[하…… 하하핫.]

공기 중으로 메마른 웃음소리가 울려 퍼졌다. 요마왕 따윈 안중에도 없다는 미로엘의 말을 증명하기에는 그 짧은 한 수의 교환만으로도 충분했다.

[뭐야 이게, 규격 외잖아…….]
"바로 깨달아 주시니 다행이네요. 힘겨루기는 취향이 아니라서."
[아…… 응, 이제 됐어. 한마디 제대로 건네 보지도 못한 건 아쉽지만, 이게 차라리 잘된 걸지도 모르겠네.]

상대는 오히려 어딘가 후련한 목소리로 그렇게 말하며, 허공중에 뭉쳐 제 모습을 만들어 내기 시작했다.
그것은 미로엘에게 있어선 그리 낯이 익지 않은 모습이었지만, 분명 뚜렷한 인간의 모습이었다.

[자, 날 죽여. 침입자를 물어 죽이는 건 사냥개의 임무겠지.

네겐 어려운 일도 아니잖아?]

"예, 물론 쉬운 일이죠."

제아무리 마신의 명에 따라 움직이는 처지였다지만, 자신의 목숨이 걸린 작전을 제대로 실행도 못 해 보고 문지기에게 막혔는데 어째서 그런 태도를 취하는 것일까.

그런 서큐버스 퀸의 마음을 대충이나마 짐작해 보려 애쓰며…….

"그래서 제안합니다만."

[이미 말했지만 마신의 명을 받은 내게는 다른 어떠한 선택도…….]

"당신의 죽음, 유보해 보지 않겠어요?"

하이엘프는, 미몽에 기꺼이 몸을 내던졌다.

❊ ❊ ❊

에반은 꿈을 꾸고 있었다.

오랜만에 저주받은 나이트캡을 쓰지 않고 잠에 들었기 때문일까?

이유는 알 수 없지만, 무척 기묘한 꿈이라는 것만은 분명했다.

[부탁이니까, 지금만이라도 껴안아 주세요.]

모습이 보이지 않는 여자의 목소리가 에반의 귓가를 두드
렸다.

맥락이 없는 꿈의 한가운데, 에반은 자신이 그 여자를 품에
안고 있다는 것을 깨달았다.

벨루아가 아닌 다른 여자였다.

'꿈이구나.'

벨루아와 같이 누워 잠을 자면서 다른 여자의 꿈을 꾸다니,
자신이 이렇게까지 절조가 없는 남자였단 말인가?

꿈속에서도 그것이 어처구니가 없어 서둘러 여자의 품을
벗어나려는데, 문득 자신이 이 여자를 굉장히 익숙하게 느끼
고 있다는 사실을 깨달았다.

'아니, 그도 당연한가. 모르는 여자보다는 아는 여자의 꿈
을 꿀 확률이 높으니까⋯⋯.'

그렇다면 누구일까, 벨루아와 기념비적인 첫날밤을 보낸
바로 그날 밤 자신의 꿈속에 찾아올 정도로 자신에게 중요한
여자는.

그것을 곰곰이 생각해 볼까 했지만, 이내 그것이 벨루아에

게 실례되는 것이 아닐까 싶어 그만두었다.

　아무리 자신이 모두 거두겠노라 다짐했다고는 해도, 지금 그의 곁에서 함께 잠을 자고 있는 사람을 놔두고 다른 여자를 생각하는 것은 너무한 일이었다.

'빨리 깨어나야지.'
[싫어…….]
'응?'

　자신의 생각을 읽었단 말인가? 하긴 꿈이니까 그럴 수도 있다. 하지만 그러고 보면, 꿈인데 이렇듯 명확한 사고가 가능한 것은 이상하지 않을까?

[아주 잠깐이면 되니까, 껴안아 줘요.]
'이게…… 무슨?'

　자신의 몸이 통제에 따르지 않았다. 그는 여자가 시키는 대로 보다 세게 여자를 껴안으며, 본능적으로 이것이 위험하다는 사실을 직감했다. 평범한 꿈이 아니다!

'잠깐, 서큐버스! 이건 혹시 서큐버스의 음몽淫夢인가!?'

　에반은 게임 속 에반의 사망씬 중에서도 남성 팬들의 압도적인 호평을 받았던 '서큐버스 엔딩'을 떠올리곤 몸을 떨었다.

그것은 게임이 어느 정도 진행될 때까지 에반이 죽지 않고, 주인공의 던전 공략이 30층 이상까지 진행되어 주요 귀족들의 활동 조건과 일부 마족의 봉인이 풀렸을 때 랜덤하게 발생하는 이벤트였다.

'그 이벤트가 발생하면 무조건 에반이 죽기 때문에 나한테는 사망 선고나 다름없었지만, 자극적인 CG가 나오는 만큼 대다수 플레이어들은 일부러 그 이벤트를 발생시키려고 노력하기도 했었던가. 잔인한 새끼들……'

대체 어째서 마족군 중에서도 특수병과 취급을 받는 고급 인력인 서큐버스가 에반처럼 중요하지 않은 인물을 덮쳤는지, 그 이유는 끝까지 밝혀지지 않았다.

플레이어들은 그냥 에반이 잘생겼으니까 재수 없이 서큐버스가 꼬여 죽게 되었다는 식으로 결론을 내려 버리기도 했었다. 그게 운이 없는 에반의 설정과 잘 맞기도 하다.

다만 마신의 저주를 받은 지금에 와서 생각해 보면, 그것도 전부 에반에게 알 수 없는 비밀이 감추어져 있다는 암시였을지도 모른다.

'그래도 지금은 그때와는 상황이 완전히 다른데, 대체 왜 이

타이밍에. 아니, 어쩌면 이 타이밍이기 때문에?'

물론 서큐버스가 지닌 힘의 특수성을 알고 있는 에반은 언제 서큐버스가 자신을 습격해 와도 괜찮도록 준비를 해 두고 있었다.

벨루아가 매일 그의 방에 마법 결계를 설치하고 있기도 했고, 에반 본인도 저주 내성과 마기 내성을 열심히 키우지 않았던가. 그런데 어째서? 이만큼 노력을 했어도 부족했단 말인가?

'아니, 진정하자. 음몽은 결국 정기를 모조리 빨려야만 끝이 나니까. 내가 정신 똑바로 차리고 있으면 되는 문제야. 게임 속 에반은 기가 허해서 금방 털렸지만 나는 아니잖아……!'

물론 연령 제한 탓에 본 시합에 들어가기 전에 끊은 것이겠지만, 서큐버스가 뭔가 제대로 보여 주기도 전에 영혼까지 털리고 사망을 맞이한 에반의 CG는 헐벗은 것이나 마찬가지인 코스튬을 입고 섹시한 포즈로 그려진 서큐버스와 대비되어 실로 한심해 보였다.

그러나 지금의 에반은 어떤가. 어린 시절부터 꾸준히 존재 레벨을 올렸을뿐더러 체력에 강한 보정을 주는 격투술의 상위 기술 천중을 깊이 수련했고, 나아가 던전 레벨도 71까지 올리지 않았던가.

상대가 서큐버스라도 쉽게 끝을 보이지는 않을 것이다!

다만 꿈속이라서 그가 착용하고 있는 아티팩트들의 보정을 받지 못하는 것은 아쉬운 일이었다. 스태미나 회복에 기적적인 보탬을 주는 검은 구름만 있었어도 서큐버스 정도는 무서울 것이 없는데……!

[안아 줘요.]
'음……?'

그러나 대책에 골몰하느라 서큐버스를 무시하고 있던 에반은 곧 무언가가 이상하다는 사실을 알아차렸다.
당장이라도 그를 덮쳐 눌러 오며 정기를 짜내려 발악해야 할 터인 서큐버스가 아까부터 줄곧 한 가지 요구만 하고 있기 때문이다.

[부탁이니까, 안아 줘요.]
'이상한데.'

혹시 서큐버스가 아닌 것인가? 아니, 그러나 꿈에 이렇듯 강한 영향을 끼칠 수 있는 것은 마족 중에서도 꿈의 주인이라 불리는 서큐버스와 인큐버스뿐이다.
다만 이상한 점은 또 있었다. 에반이 아무리 서큐버스의 얼굴을 보려 애써도 알아볼 수가 없게끔 뿌연 안개가 그녀의 얼굴을 뒤덮고 있었던 것이다.

'뭔가가 이상해. 대상을 매혹하려 하는데 제 얼굴을 감추다니……?'

[생각은 나중에 일어나서 해도 충분한걸. 지금은 나를 안아 줘요.]

'내가 서큐버스가 시키는 대로 할 것 같아?'

하지만 자신이 방금 내뱉은 말과는 달리 에반은 순순히 얼굴도 모르는 서큐버스를 품에 끌어당겨 안고 있었다.

서큐버스의 매혹에 당하고 있다는 것을 알면서도 이상하게 거부감은 들지 않았다. 그저 익숙하고 편안했다. 이것조차 매혹의 영향일까?

'아니…….'

세상천지에 어떤 서큐버스가 안아 달라는 투정만 부리는 음몽을 만들어 낸단 말인가.

수수께끼가 너무 많아 머리가 제대로 돌아가질 않았다. 에반이 바보 같은 질문을 한 것도 아마 그래서일 것이다.

'너는 나를 죽이러 온 거 아냐?'

게임에서 에반은 서큐버스와의 화끈한 밤을 대가로 목숨을 잃는다. 모든 서큐버스가 그렇다. 목표물로부터 한 방울도 남김없이 정기를 빨아먹은 끝에 바싹 말려 죽이는 것이 그녀들의 방식이었다.

하지만 지금 서큐버스의 행동은 그와는 정반대였다. 서큐버스가 꿈을 조종한다지만 그것도 무한하지 않을 터인데, 지금 안아 달라고 그를 조르는 것은 단순한 시간 낭비에 불과했다.

[죽여야 하지만.]
'죽여야 하지만?'
[죽일 수 없으니까, 괜찮아요.]
'죽일 수 없으니까 괜찮다니 그게 대체 무슨 소리야……?'

그렇기에 어떤 의미로는 예상하고 있던 그녀의 대답이 돌아왔을 때, 에반은 대체 그녀를 어떤 식으로 대해야 할지 감이 잡히지 않게 되었다.

[이런, 시간이 다 되어 버렸어.]

그때, 서큐버스가 무척 아쉽다는 투로 중얼거리곤 에반의 품에서 물러나 몸을 일으켰다.

여전히 그녀의 얼굴은 보이지 않았지만, 자신의 몸을 정돈하는 그 손길은 에반에게 묘한 향수를 불러일으켰다.

[또 올 거예요. 당신을 죽여야 하니까.]

'그래서 기뻐하라고?'

[그때도 난 당신을 죽일 수 없을 테니까, 괜찮을 거예요.]

'내가 알아들을 수 있게 말해 줬으면 좋겠어.'

그의 말에 서큐버스는 까르륵 웃었다. 분명 얼굴이 보이지
않을 터인데 지금 에반에게는 그녀의 얼굴이 선명하게 보이
는 듯했다.

[알아들을 수 있는 말이라…… 그렇지.]

그녀가 재차 에반에게 다가왔다. 그의 몸이 그에 반응하듯
절로 일으켜 세워졌다.

거세게 반항하면 강제로 꿈에서 깨어날 수도 있을 것 같았
지만, 자신을 죽일 생각도 없는 것처럼 보이니 괜히 자극하는
것보다는 그냥 놔두는 것이…….

[사랑해요.]

아니, 역시 강제로라도 깨어나는 편이 좋았을지도 모르겠다.

그에게로 다가온 서큐버스는 그가 뭐라 말하거나 저항할
틈도 없이 그에게 키스를 한 것이다. 한없이 뜨겁고 선명한 화
인이 입술 위에 존재감을 남겼다.

[이걸로 끝.]

'아니, 너 역시 내가 알고 있는……!'

꿈속의 공간이 무너져 내리며, 그의 의식이 현실로 빨려 들어가기 시작했다.

아주 잠깐, 서큐버스의 얼굴이 보인 것 같았지만…… 에반은 곧 그것을 잊어버리고 말았다.

"……으음?"

"안녕히 주무셨어요, 도련님."

눈을 뜨니 코앞에 벨루아의 얼굴이 있었다. 입술에 와 닿았던 감촉의 정체는 벨루아의 입술이었다.

자고 있는 에반에게 키스를 해 그를 깨우다니 벨루아에게도 제법 로맨틱한 면이 있었던 것이다.

"죄송해요, 도련님의 자는 얼굴을 보니 키스가 하고 싶어져서."

"그렇게 담담히 부끄러운 말을 하면 나는 어떻게 반응하면 돼?"

"응……."

벨루아는 말없이 자신의 입술을 내밀었다. 잘도 이런 부끄러운 행동을 한다는 생각이 들었지만 문득 어제 있었던 일들이 떠올랐다.

그제야 이젠 더 부끄럽고 자시고 할 것도 없다는 사실을 깨달은 에반은 그녀가 원하는 대로 키스를 해 주기로 했다. 그러는 사이 서큐버스에 대해서는 완전히 잊어버리고 말았다.

"도련님, 사랑해요……!"
"루아, 너."

키스 몇 번에 완전히 시동이 걸린 벨루아가 에반의 품에 안겨 들었다. 매혹적인 볼륨을 자랑하는 벨루아의 나신이 육박해 오자 에반은 당황하며 침대 위에서 몸을 조금 물렸다.

"아니, 이제 아침이잖아. 일어나야지."
"하루 정도는 이대로 쉬어도 괜찮지 않을까요?"

벨루아의 입에서 쉬고 싶다는 말이 나온 것은 맹세컨대 처음이었다.

여태까지의 그녀에게선 볼 수 없었던 솔직한 반응에 에반은 기쁨마저 느꼈으나, 유감스럽게도 들어줄 수는 없는 투정이었다.

"우리 둘이 방 안에 처박혀서 하루 동안 나가지 않으면 무슨 일이 벌어질지 생각해 봐. 일단 기사단 전원이 눈치를 챌 거라고."

"그렇게 되면…… 굉장한 우월감을 느낄 수 있을 것 같아요."

"어이쿠, 우리 루아가 조금 지나치게 솔직해졌네."

이대로 껴안고 있으면 언제까지고 벨루아가 흥분한 채 그대로일 것 같았기에 에반은 먼저 몸을 일으키기로 했다.

"웃차."

"우으……."

기어이 그가 몸을 일으키자 벨루아는 볼을 부풀리며 말없이 투정을 부렸다. 그것조차 사랑스러웠다.

"시간은 앞으로도 많이 있잖아. 그리고 낮은 움직여야 하는 시간이야."

"도련님은 언제나 너무 스스로를 몰아세우고 계세요. 대부분의 인간은 낮잠이라는 걸 즐기고 있는걸요."

에반은 어깨를 으쓱였다. 확실히 에반은 세상 대부분의 사람들보다 바쁘게 움직이고 있기는 했다. 갖은 수단으로 단련한 체력 덕에 그것이 그렇게 힘들지도 않았다.

하지만 벨루아는 평소 에반의 그런 모습을 보며 내심 걱정을 많이 한 모양이었다. 기회는 이때다 싶어 사심까지 약간 섞어 에반을 조르는 벨루아에게 에반도 기어이 넘어가고 말았다.

"그래, 알았어. 내가 졌어. 조만간 단단히 날을 잡아서 하루 종일 침대에서 뒹굴기만 할 테니까 너도 각오하고 있어."
"후훗, 벌써부터 기다려지네요."

원하는 것을 얻어 낸 벨루아는 마지막으로 에반의 뺨에 키스하곤 옷을 차려입기 시작했다.
그녀의 탐스러운 나신이 옷에 감춰지는 모습에 약간의 아쉬움을 느끼면서도, 에반 역시 옷을 입고는 방에 딸린 화장실에서 세수를 하며 깔끔하게 정돈을 마쳤다.
그리고 벨루아에게 잠시 방에 숨어 있으라는 얘기를 마친 후, 먼저 방문을 열고 나서려 했다.

"좋은 아침이에요."
"히어어억!?"

방문 바로 앞에 하이엘프 미로엘이 서 있었다.

"이런, 놀라게 했다면 미안해요."
"아니, 아니…… 조, 좋은 아침."

에반은 최대한 자연스럽게, 하지만 눈부시게 빠른 속도로 방문을 닫았다. 그리고 애써 미소를 지어 보였다.

"아침부터 무슨 일이에요?"
"아뇨, 그냥."

하이엘프는 에반과는 달리 진심에서 우러나오는 화사한 미소를 지으며 그에게 말했다.

"무사해서, 정말 다행이에요."

Chapter 58.

에반 디 세어든, 시나리오를 조작하다

  벨루아와의 밀월을 즐긴 다음 날 오전 바로 미로엘과 조우하며 간이 떨어질 뻔한 사건 이후로 다시 사흘이 흘렀다.

  에반은 그동안 어떻게든 벨루아와의 진전된 관계를 들키지 않고 잠깐의 평화를 즐길 수 있었다.

  아니, 이미 여럿에게 성인식의 정보가 흘러 나갔음을 감안한다면 평화의 종말은 예정되어 있는 것이나 마찬가지였지만 말이다.

  벨루아와의 관계가 공표된다고 해서 그에게 뭐라고 따질 수 있는 사람은 없겠지만, 그것을 알게 되면 당장 그를 여러 가지 의미에서 졸라 올 법한 사람이 몇 명 정도 있었다.

  '아리샤는 물론이고 세레이나, 메이벨까지…… 아니, 그 애들 말고도 더 있지.'

에반에게 노골적인 호의를 표하며 그와의 관계 진전을 기대하고 있는 이들. 에반이 대외적으로 내세우던 변명, '금제'가 풀리게 되면 그들이 어떻게 나올지는 눈 감고도 훤히 보였다.

그리고 문제는 거기서부터 시작된다. 에반이 까딱해서 잘못된 선택을 하면 그때부턴 헤어 나올 수 없는 주지육림의 나날이 시작될 것이다. 그래서야 게임 속 에반과 똑같지 않은가!

에반이라고 물론 그걸 싫어하지는 않는다. 싫어할 리가 없다. 하지만 에반은 보다 건설적인 삶을 살고 싶었다. 벨루아에게 말했던 것은 진심이었다. 그는 휴식은 밤에 취하는 것으로 충분하다고 생각했다.

'물론 그렇다고 언제까지 숨길 수 있는 것도 아니고, 그럴 생각도 없지만…… 그 방식에는 조금 고민을 해 봐야겠지.'

자칫 잘못하면 벨루아를 제외한 다른 여성들에 대한 기만이 될 수 있었다. 물론 그럴 생각은 털끝만큼도 없지만 얼마든지 그렇게 보일 수 있다는 점이 중요하다.

뭣보다 그는 이미 벨루아를 다른 여자들보다 우선시하고 있다는 점에서 그녀들에게 죄를 짓고 있는 것이나 마찬가지.

앞으로 신중히 생각하고 행동하지 않으면 게임 속 에반처럼 배때기에 식칼이 빗발치는 삶을 살게 될 것이다.

'최대한 모두가 행복했으면 좋겠어. 나를 포함해서…… 음,

역시 개새끼구나.'

벨루아와 관계를 맺은 이후 에반은 이렇듯 앞으로의 이성 관계에 대해 보다 진지하게 생각하게 되었다.

약혼녀인 아리샤부터 시작해서 한 명씩 천천히, 자신이 감당할 수 있는 범위 안에서 조금씩 관계를 늘려 가야겠지.

이렇게 되면 나이트캡을 활용한 수면 중의 슬라임 수련이 부실해질 수 있지만 그 정도는 이미 각오한 바다.

'앞으로 일주일. 그래, 딱 그 정도만 여유를 두고 시작하자.'

에반이 에이르와 엘리자베스의 교육을 마치고 가볍게 샤워를 한 후, 디오나가 만들어 온 상큼한 레몬에이드를 마시며 미래 설계에 여념이 없던 중.

"도련님, 실례하겠습니다."
"응?"

벨루아가 노크 후 방 안에 들어왔다.

그녀는 에반의 뒤에 시립해 있는 디오나를 보곤 아주 살짝 한숨을 내쉬었지만 이내 그런 일은 없었던 것처럼 태연히 그에게 다가왔다.

그녀의 손에 들려 있는 작지 않은 상자가 에반의 눈에 들어

왔다.

"그건 뭐야?"
"실은 요 며칠, 다 함께 도련님을 위해 만든 선물입니다."
"……응?"

선물? 에반이 고개를 갸웃했다. 디오나를 돌아보자 그녀도
모른다는 표정이었다.
하긴 그녀는 어지간한 일이 생기지 않는 한 에반의 곁을 떠
나지 않았으니 에반이 모르는 일을 알 리가 없지만…….

"버나드 님, 마님…… 그리고 오르타 님과 엘라 님도 협력
해 주셨습니다."
"굉장히 보기 드문 조합인데 그거."

그 넷이 뭉쳐 대체 뭘 만들었단 말인가. 에반은 대체 무슨
선물일까 궁금해하며 상자를 열었다. 그 안에는 눈부신 빛을
토해 내는 붉은 보석이 달린 서클릿이 있었다.
……서클릿?

"루아, 이거 머리 장식 같은데. 그것도 아주 예쁜 머리 장식."
"맞습니다. 아주 멋진 머리 장식이네요."

예쁘다는 표현을 일부러 멋지다고 고쳐 말했겠다. 에반의
눈이 가늘어졌다.

"……혹시 지금 이걸 나보고 하라고?"
"무척 잘 어울리실 거예요."

에반의 의심을 불식시키듯 단언하는 벨루아의 두 눈은 드
물게도 반짝이고 있었다. 확신을 가진 자들만이 지을 수 있는
그런 표정!
말려 주길 기대하며 옆을 돌아보았더니 디오나 역시 만만
찮게 눈을 빛내고 있었다.

"도련님의 이미지에 딱 맞는 고귀하고 우아한 디자인이
네요!"
"고귀하고 우아하다는 표현은 남자를 칭찬할 때 쓰면 안 되
는 표현이야, 디오나."
"지금 전 남자가 아니라 공자님을 칭찬하고 있는데요?"
"혹시 난 남자가 아닌 별개의 성별이었던 거야?"

에반의 질문에 디오나는 무슨 그런 새삼스러운 질문을 하
냐는 표정으로 에반을 마주 바라보았다. 서클릿을 직접 가져
온 벨루아는 말할 필요도 없다.
아무래도 이 자리에는 그의 아군이 없는 것 같았다. 에반은

깔끔하게 포기하고 서클릿을 집어 들었다.

그러고 보면 판타지 영화나 게임에서 봐도 가끔 매끈하게 생긴 남캐들이 이런 보석 서클릿으로 치장하고 나오긴 하던데…….

"아니, 잠깐만."

워낙 충격적인 비주얼 탓에, 에반은 그보다 중요한 한 가지 사실을 뒤늦게 깨달았다.

"이, 이거…… 그거잖아. 그거. 그걸로 만든 거지."
"네, 그것 맞습니다."

벨루아가 단호하게 고개를 끄덕였다. 그 모습에 에반은 어처구니가 없어 한숨을 토해 내고 말았다.

옆에 디오나가 있어 대명사로 지칭하기는 했지만, 그것이란 바로 그들이 얼마 전 사냥했던 몬스터 드래곤을 말하는 것이다!

이 서클릿의 중심부에 박힌 붉은 보석, 단언컨대 이것은 드래곤 하트의 일부였다! 드래곤의 피와 함께 연구하고 싶다는 말에 잠깐 버나드에게 맡겨 뒀을 뿐인데 그사이 이런 참사를 일으키다니!

"내가 못 살아 진짜……."

"도련님의 희망에 응답하기 위해선 이것밖에 없었어요. 부디 이해해 주세요."

"내 희망이라니?"

"그건……."

벨루아가 말꼬리를 흐리며 서클릿을 응시했다. 착용해 보면 안다는 뜻이었다.

그러고 보면 원래 그가 착용하고 있던 설산정령 귀걸이가 벨루아의 화산정령 귀걸이와 합체진화하며 에반의 아티팩트 슬롯은 하나가 비어 있던 상황. 이 서클릿의 제작은 그 이후로 바로 시작된 일임에 틀림없었다.

"알았어, 착용하면 되잖아."

"도련님께서 기뻐하시길 바라요."

"내가 기뻐하는 것과는 별개로 이번 일에 관여한 사람들 다 나중에 혼날 줄 알……."

까지 말하다 말고 재차 에반의 입술이 파르르 떨렸다. 이 서클릿을 제작하는 데 레디네가 관여했다고? 그렇다는 건 에반이 드래곤을 사냥했다는 사실을 들켰다는 얘기 아닌가!

"마님께선 스테이크를 드시고 바로 깨달으셨다고 합니다."

"······내가 우리 어머니를 얕보고 있었구나."

그 시점에서 에반은 모든 것을 내려놓고, 순순히 서클릿을 이마에 착용했다.

에반에 대해 잘 알고 있는 사람들이 디자인에 관여한 덕에 서클릿은 에반의 기대를 좋은 방향으로 배반했다.

즉 그에게 무척 잘 어울렸다는 뜻이다.

"반할 것 같아요, 공자님······!"
"멋져요."

평소 그리 과장하는 법이 없는 디오나조차 물개 박수를 치며 환호했다.

한편 벨루아는 두 눈에 하트를 띤 채 그를 지그시 바라보고 있었다. 바로 어젯밤에도 느꼈던, 굶주린 야수의 눈빛이다. 시선을 조금이라도 피하면 그 순간 덮쳐진다.

에반은 그녀들의 반응이 어째 익숙하게 느껴졌다. 그래, 바로 처음으로 어스트레이 나이츠 망토를 걸쳤을 때와 비슷한 반응이지 않은가!

"내가 원하는 건 매력이 증폭되는 게 아닌데······!?"
"그것은 어디까지나 부가 효과에 불과합니다, 도련님. 잘 느껴 보세요."

"알았어, 알았으니까 거칠게 호흡하면서 다가오지 말고 그 자리에서 말해 줘."

벨루아가 거짓을 고할 리도 없다. 에반은 눈을 감고 그녀가 말한 대로 아티팩트에 집중했다.

본래 특수한 능력을 갖춘 아티팩트는 고유의 마나 흐름을 갖는데, 자신의 마나와 동조하는 순간 대략적으로 그 이치와 효과에 대해 깨닫게 된다.

'아마 매력이 증가한 것도 그 부가 효과일 가능성이 높긴 한데······.'

예를 들면 어스트레이 나이츠의 단장 전용 망토.

그것에 그의 매력을 증폭시켜 주는 힘이 붙어 있었던 것은, 어디까지나 그 망토의 주 능력이 바로 단장의 위엄, 카리스마를 증폭시켜 주는 것이기 때문이다.

사람의 외관과 관련되는 능력은 대개 매력 스테이터스에 크게 영향을 받는 것.

그리고 그렇다는 것은 이 서클릿이 갖고 있는 능력도 사람의 외관과 관련되는 능력이라는 건데······ 그걸 에반이 원하고 있었다고? 그것을 대체 어떻게 받아들이면 된단 말인가······.

'음······?'

그러나 보다 깊이 침잠하며 서클릿에 집중하던 어느 한순간, 에반의 뇌리를 어떤 강렬한 이미지가 스치고 지나갔다.

폭발하는 화산 속, 격렬하게 분출하는 용암과 함께 날아오른 거대한 화룡이 울부짖는 이미지.

그것은 모든 존재를 무릎 꿇리는 포효. 지고한 존재 드래곤의 위엄을 그의 적에게 강제로 새겨 위축시키는 힘이었다!

"아니, 이거 설마!"
"역시 도련님이십니다. 바로 알아차리셨네요."

두 눈을 동그랗게 뜨며 믿을 수 없다는 듯한 표정을 짓는 에반을 벨루아가 무척이나 만족스러운 표정으로 바라보았다. 하지만 에반은 도저히 가만히 있을 수가 없었다.

그도 그럴 것이 이 서클릿 안에 담긴 능력은 모든 미디어에 등장하는 드래곤의 대표 격 스킬 중 하나, 드래곤 피어였기 때문이다!

절대자의 위엄을 뿌려 만물을 위축시키고, 때로는 지나친 격의 차이로 인해 사망에까지 이르게 하는 무시무시한 스킬!

"이걸 대체 어떻게 재현한 거야!?"
"생산 공정이 복잡하기는 했습니다만…… 소재를 통일시키고 보니 능력을 재현하는 것 자체는 그리 큰 문제가 아니었습니다."

즉 드래곤 하트뿐만 아니라 이 서클릿을 구성하고 있는 요소 전부 드래곤의 부산물이라는 얘기였다. 사실 그 정도는 에반도 예상하고 있었다.

"다만 그만큼 격이 높은 존재만이 사용할 수 있다는 것 같습니다. 특히 직접 그 존재를 넘어서지 않으면 의미가 없다는 얘기를 들었습니다."

과연, 드래곤을 정면에서 돌파하며 엄연한 드래곤 슬레이어가 된 에반이기에 비로소 이 서클릿의 능력을 끌어낼 수 있다는 얘기였다.

드래곤을 물리친 자가 드래곤의 힘을 갖게 된다는 이야기는 굉장히 유명한 전승이기는 했다. 에반도 그 얘기를 듣고 비로소 어느 정도 납득할 수…… 아니, 역시 납득할 수 없다!

"끙, 이래서야 도저히 불평할 수가 없잖아……."
"눈치채셨나요, 도련님? 그 서클릿의 진정한 능력을."
"아, 응. 그야 당연하지."

드래곤이 짊어진 전승은 무수히 많고 많지만, 그중에서도 중요한 것이 몇 가지 있다. 그들의 한계를 모르는 능력과 가능성을 상징하는 키워드…… 바로 신살神殺이다.

드래곤의 위엄은 비단 자신보다 격하의 존재에게만 적용되는 것이 아니다. 그들의 오만은 자신보다 격상의 존재를 대상으로도 어김없이 적용되는 것이다.

신성을 아무렇지 않게 침범하고, 절대적인 불멸의 존재의 육신에마저 해를 가하는 드래곤의 고유한 능력.

그것을 다른 말로 하면 즉…….

"방어관통이지?"

에반이 바라 마지않던 바로 그 힘! 구하는 대로 설산정령 귀걸이와 바꿔치기하려고 했던 바로 그 옵션!

이 스테이터스는 사용자의 매력을 증폭시켜 줄 뿐만 아니라, 그 매력을 드래곤의 위엄으로 전환하여 그것으로서 상대의 방어력을 관통하는 공격을 가할 수 있게 하는 지고의 보물이었다!

에반의 질문에 벨루아가 고개를 끄덕이며 대꾸했다.

"예. 이 안의 다른 모든 옵션은 그것을 위한 곁가지에 불과했습니다. 모두 훌륭한 능력이지만요."

"하, 이걸 정말 어떻게…… 진짜 고마워. 벨루아, 아주 고마워. 이걸 함께 만들어 준 다른 사람들한테도 고맙다고 전해 줘."

"도련님께 도움이 되기 위해 많이 노력했어요. 이 정도면 설산정령 귀걸이를 받은 보답은 될 수 있겠지요."

벨루아가 드물게도 당당히 대꾸하며 칭찬을 해 달라는 듯
이 가슴을 쭉 내밀었다. 평소의 그녀에게선 좀처럼 볼 수 없
는 표정이며 행동에 디오나의 눈이 가늘어졌다.

"역시 벨루아 님의 표정이 많이 부드러워졌는데…… 이래
서야 확실하다고 볼 수 있겠네요. 아리샤 아가씨와 할 이야기
가 늘어났어요."

"아니, 부탁이니까 그러지 마. 지금은 이 아티팩트를 만끽
하는 데 집중하고 싶단 말이야."

"알겠습니다. 알겠지만, 각오해 두세요."

"이런 빌어먹을 메이벨 이펙트 같으니……."

상관에게 아무렇지도 않게 반기를 드는 것까지 전부 메이
벨의 영향을 받았음에 분명하다! 에반이 입술을 삐죽이며
디오나를 노려보자 그녀가 한쪽 눈을 귀엽게 깜박이며 제안
했다.

"저한테만 특별 서비스를 조금 해 주신다면 제 입이 좀 더
무거워질 것 같기도 한데."

"끄응, 내용에 따라 생각을 한번……."

"도련님, 제게 맡겨 주세요."

"응?"

"네?"

그러나 에반이 그녀의 딜에 응하려 한 바로 그때, 벨루아가 한 발 앞으로 나섰다. 잔잔히 미소 짓는 벨루아의 한쪽 손 위로 보랏빛 섬광이 떠올라 있었다.

"당분간은 아무 얘기도 하고 싶지 않게 만들어 놓을 테니까."

"어, 아니, 벨루아 님? 이건 저랑 공자님의 개인적인 교류 같은 것으로 딱히 서로에게 악감정이 있어서 그러는 게 아니라 그냥 애교……."

"잠시 실례하겠습니다."

"아니 제가 죄송했어요, 끼 안 부릴 테니까 한 번만 봐주, 아니 잠깐만요, 벨루아 님……!"

둘의 모습이 그 자리에서 사라졌다. 성인식을 마친 이후로 벨루아의 능력은 또 한 차례 크게 발전했는데, 이젠 거의 미로엘에 비견될 만큼 자연스레 마력을 다루고 있었다.

과연 혈안마녀의 위명은 바래지 않은 것이다.

"음…… 뭐 됐나. 죽이진 않겠지."

에반은 저 멀리서 희미하게 들려오는 디오나의 목소리를 깔끔하게 무시하며 이마의 서클릿을 만족스레 매만졌다.

에반 디 셰어든 생애 최강의 장비를 얻은 날이었다.

✦ ✦ ✦

"보고드리겠습니다."

얇은 서류철을 품에 안고 들어온 샤인이 정중하게 말했다. 그가 에반에게 예의를 차리는 얼마 안 되는 시간 중 하나, 정기 보고 시간이었다.

"그러면 아이언월 나이츠 현황에 대한 보고부터…… 도련님."
"왜."
"여기."

샤인이 목 언저리를 두드렸다. 에반은 자기 목을 살피곤 뻣뻣하게 경직되었다. 샤인이 능글거리며 말했다.

"휴식은 밤뿐이라고 하지 않으셨습니까?"
"저녁 먹고 휴식하면서 잠깐 같이 있었을 뿐이거든. 바로 조금 전까지……."

벨루아가 에반의 목에 남긴 흔적은 그로부터 30초 정도 지나 에반의 자연 치유력을 견디지 못해 소멸했다. 어쩌면 그의 높은 자연 치유력이 더욱 벨루아의 도전 욕구를 불러오는 것일지도 몰랐다.

"애초에 도련님의 그 방어력을 뚫고 흔적을 남겼다는 게 더 신기한데요."

"끙…… 나한테 해의를 품지 않은 접근에도 모두 방어 체크가 들어가는 건 아냐. 예전에 그 원리는 설명해 줬잖아?"

"그러니 앞으로는 조심하셔야 할 겁니다. 발견한 게 저라서 다행이었지 메이벨 누나쯤 됐으면 본부가 통째로 뒤집어졌을지도 몰라요."

"주의할게."

에반은 샤인의 진심 어린 말에 고개를 끄덕이며 작게 한숨을 내쉬었다. 벨루아는 다른 신인족 아이들에 비해서도 유독 일찍 철이 들어 버린 케이스였다.

그런데 에반이 그녀를 노예 시장에서 얻은 이래, 농담을 모르는 딱딱한 태도로 오직 에반만을 위해서 살아온 그녀가 이제 와 이런 장난기를 발휘하게 될 줄은…….

"루아 녀석, 내 입장을 다 알면서 이러는 거야. 어쩌면 다른 여자애들을 상대로 우월감을 느껴 보고 싶다는 말이 진짜였을지도 몰라."

"그도 그렇지 않겠습니까. 도련님께서 벨루아를 가장 좋아하시는 게 훤히 보이는데, 귀족이라는 이유로 한참 전부터 아리샤 아가씨가 도련님의 약혼녀 자리를 차지하고 있었으니 제가 벨루아였더라도 약이 올랐을 겁니다."

차라리 에반이 아리샤에게 전력투구하는 모습을 보여 줬더라면 벨루아도 그런 장난을 칠 생각은 하지 않았을 것이라는 얘기였다. 물론 에반은 자신의 감정을 숨기는 데 서투르니 그런 건 처음부터 무리였겠지만.

"그러니까 당분간 그러도록 놔두시죠. 지금 그 녀석은 인생의 절정기를 달리고 있어서 조금 흥분해 있을 뿐이니까. 조만간 알아서 진정할 겁니다."
"그러지 뭐…… 사실 그러는 모습도 귀여우니까."
"……역시 도련님도 즐기고 계시는군요."

참 잘 어울리는 한 쌍이구나, 샤인이 그렇게 생각하며 웃고 있자니 에반이 책상을 두들겨 다시 보고로 돌아올 것을 재촉했다. 그는 큼, 호흡을 정돈하곤 보고서를 읽었다.

"아이언월 나이츠의 내부 분열 조짐은 없습니다. 9년 전부터 도련님의 건의로 시행된 복지도 별 탈 없이 이어지고 있습니다. 그 외 마법사와 신관들, 나아가 일반 병력에 이르기까지 도련님이 걱정하시던 징조는 전혀 나타나지 않고 있습니다."
"그래, 그쪽은 원래부터 믿고 있었으니까. 그럼 방계 쪽은 어때?"

"아주 얌전합니다."

"정말?"

"예."

"완전히?"

"숨소리도 안 냅니다. 집사단을 총동원해 그네들 마누라 속옷 색깔까지 확인하고 왔으니 확실합니다."

에반의 이마에 주름이 잡혔다. 기대했던 것과 다르다는 반응에 오히려 샤인이 어처구니가 없어 반문했다.

"아니, 도련님도 알고 계시지 않습니까. 3년 전 대공습 당시의 숙청으로 지금 어지간한 방계 인물은 감히 직계를 거스를 꿈도 꾸지 못하고 있습니다."

"그건 그렇지만."

"더구나 굳이 거스를 필요도 없지요. 어스트레이의 위세가 있으니 탐험가들도 귀족의 권위를 넘볼 생각을 하지 않고 있고, 형제상회에서 떨어져 나오는 콩고물을 받아먹는 것만으로 후작가는 물론 방계 가문들에도 충분한 혜택이 미치고 있으니까요. 이대로도 수도 귀족에 못지않은 사치를 부리고 살수 있으니 굳이 과욕을 부릴 필요가 없는 겁니다."

보다 엄밀히 말하면, 과욕을 부리고 싶어도 부리지 못할 것이다.

공식적으로 셰어든 최강, 비공식적으로는 아마도 세계 최
강일 에반이 두 눈 시퍼렇게 뜨고 있는데 어찌 방계 인물들이
직계의 눈을 속이고 제 잇속을 챙길 생각을 할 수 있겠는가.

에반 한 명만 있다면 또 모르지만 그는 한 명만 있어도 도
시 하나는 우습게 뒤집어 놓을 수 있는 어스트레이 나이츠 전
원의 통솔권을 쥐고 있으며, 형제상회의 주인인 메이벨의 주
인이기도 하다.

셰어든의 방계가 아니라 대국의 황제가 와도 여유롭게 맞
대결을 할 수 있는 수준이니 제정신이 박힌 이라면 이곳에서
숨죽이고 얌전히 살아가는 수밖에.

"그래, 나도 3년 전 형을 도와 대대적인 숙청을 실시하면서
그런 생각을 하긴 했었지……."

"이 땅에서 다시는 배신이 일어나지 않을 것이라는 생각?"

"아니."

에반은 근심 어린 표정으로 중얼거렸다.

"이 땅에서 다시는 메인 시나리오의 발판이 되어 줄 악역이
탄생하기는 힘들겠다는 생각……."

"그 와중에 그것까지 생각하고 계셨습니까, 그저 존경스러
울 뿐입니다."

"에잇."

"컥!"

예의를 차리긴 개뿔, 샤인이 또 에반에게 빈정거리고 있었다. 에반은 샤인의 정강이를 걷어차 자세를 무너트렸다.

에반이 이렇듯 거침없이 폭력을 행사하는 대상은 샤인 정도였다. 물론 샤인은 그 사실에도 전혀 뿌듯함을 느끼지 않았지만.

"이건 제법 중요한 일이라고, 인마. 게임에 선역만 가득하면 그게 대체 무슨 재미겠어? 주인공에게 밟혀 사라지는 악역은 물론이고, 주인공을 이용해서 정의 세력에 엿을 먹이려는 악역, 그런 악역을 견제하며 주인공을 끌어들이려는 선역…… 그런 무수한 인물들의 케미가 있어야 주인공이 이리저리 왔다 갔다 하며 다방면으로 경험을 쌓고 성장할 수 있을 것 아냐."

"이젠 단순한 전투 능력뿐만 아니라 사회 경험까지 채워 주려고 그러십니까?"

지금의 셰어든은 비리라는 것이 도저히 존재할 수가 없는 공간이다. 모든 이가 에반 앞에 알아서 설설 기고 있으니 게임에 등장했던 악역은커녕 좀도둑도 찾기 힘든 세상이 된 것이다!

치안 면에서는 누구나가 안심하고 일상생활을 영위할 수 있는 훌륭한 도시가 되었지만, RPG에 등장할 법한, 빛과 어둠이 공존하며 플레이어의 선택에 따라 미래가 판이하게 바뀌는 혼돈으로 가득 찬 공간과는 백억 광년 정도 떨어지게 된 것!

"이래서야 주인공이 성장할 기회도 줄어들어. 뭔가 보상을 안겨 주려고 해도 거기에 적절한 의뢰가 곁들여져야 할 것 아냐. 그냥 넙죽 아이템만 건네줄 수는 없는 노릇이라고."

"그…… 도련님? 제가 보기엔 도련님께서도 지금 이미 과하게 안겨 주고 계십니다만."

"이 정도로는 턱도 없어. 더 빨리 성장시켜 줘야 하는데 이 이상 직접적으로 나섰다간 그 녀석이 어스트레이랑 깊게 엮일 것 같아서 포기한 거란 말이야."

누누이 말하건대 에반은 어디까지나 세이브와 직접적인 접촉을 갖지 않는 것을 전제로 그를 지원하려 하고 있었다. 그의 제자가 된 메르딘 영애, 루이즈를 어디까지나 '견습'으로 두고 있는 것 또한 그래서였다.

"하긴 그 세이브라는 놈은 눈이 좀 위험하긴 하죠. 직접 만나고 싶지 않다는 도련님의 말씀엔 공감합니다."

"그래. 게다가 균열이라는 새로운 위험 요소가 나타나게 된 지금, 앞으로 바빠질 우리를 대신해서 던전 도시에서 주력으로 활동하며 요마왕과 마족 세력을 견제할 정예 파티가 필요해. 난 세이브의 파티를 그런 정예로 키울 생각이야."

그것을 게임 전문 용어로는 멀티라고 한다. 상대해야 할 적의 난이도에 따라 거기에 맞는 파티를 여럿 만들어 운용하는 것. 적재적소란 바로 이럴 때 쓰는 말이었다.

최소한 그때까지는 그들과 적절히 거리를 두고 이용해 먹어야 하니, 요마왕을 쓰러트리기 전까지는 루이즈도 어스트레이의 정식 단원이 될 수 없을 것이다. 요마왕을 쓰러트리는 게 입단 조건인 기사단이라니 빡센 것도 정도가 있었다.

"즉 도련님이 전면으로 드러나지 않고 세이브 파티를 이리저리 굴리며 성장시킬 대리인이 필요하다는 얘기로군요."

"그래, 정리하면 그렇게 되네. 악역도 좀 있으면 좋겠지만 없는 건 어쩔 수 없으니……."

지금까지는 루이즈를 통해 이런저런 것들을 지원했지만 사실 그 대다수가 소극적이고 간접적이었다.

직접적인 의뢰를 제시하거나, 구체적인 목표를 설정해 줄 수가 없으니 그래 봐야 루이즈의 입을 빌려 그들의 훈련 방식에 조금 참견할 수 있었을 뿐.

'그냥 도련님이 나서서 어떻게 하라고 말씀하시면 그놈이 넙죽 따를 것 같긴 한데.'

그렇게나 세이브와 만나기 싫은 것이라면 어쩔 수 없다. 샤인은 한숨을 내쉬며 제안했다.

"그럼 대리인을 세우죠. 가상의 시나리오를 지닌 대리인 말입니다."
"가상의 시나리오?"
"예. 짜고 치자는 거죠. 결국 세이브라는 놈의 활동 방향성을 이쪽에서 지정해 줄 수 있으면 끝나는 얘기니까요."
"대리인, 대리인이라……."

에반의 머릿속에서 섬광이 번쩍했다. 샤인의 아이디어는 굉장히 그럴듯하게 느껴졌다. 그래, 왜 없는 악역을 찾으려 안달했단 말인가, 적절한 가짜를 만들어 내면 되는 것을!

"그래. 악역, 선역, 시나리오…… 던전 도시에서의 활동부터 시작해서 인근 도시 파견, 수도 진출, 타국 교류, 던전 정복과 나아가 요마왕 토벌에 이르기까지의 길을 모두 내가 깔면 되는 거였잖아!"
"어…… 조금 이야기가 커진 것 같은데요."

샤인이 경직했다. 그는 그저 에반 대신 세이브 파티에게 활동을 지시할 대리인을 만들면 되겠다고 생각했을 뿐인데 뭐? 뭘 만들고 뭘 깔아?

"어차피 요마대전3의 시나리오는 달달 외우고 있어. 부족한 인물들은 만들어서 채우면 돼. 부족한 돈은 내가 투자하면 되고……! 좋아, 당장 시작하자!"

"도련님……?"

"에반!"

에반이 조금 위험한 다짐을 한 바로 그때였다. 에반의 집무실 문이 벌컥 열리고 들어오는 이가 있었다.

보통은 앞에서 지키고 있는 하녀의 보고가 있어야만 하는데 그것을 무시하고 들어올 정도라면…….

"어라, 미리엄 어머니? 여기까지 무슨 일이세요?"

그래, 에반의 가족 정도가 아니고선 말이 안 되었다.

"에반, 너 대체 우리 딸한테 무슨 짓을 해 놓은 거니!"

붉은 머리를 휘날리며 성큼성큼 다가온 미리엄이 에반의 책상 위에 손을 내려치며 절규했다.

엘리자베스에게 한 짓이 워낙 많은지라 대체 뭣부터 말해야 할지 가만히 생각하는 에반. 에반이 고민하는 모습을 본 셰어든 2부인의 얼굴이 흉신악살처럼 일그러졌다.

"내 딸이 정원의 드래곤 조각상을 흉악한 둔기 두 개로 깨부수고 있어! 기사들도 들기 힘들어하는 무시무시한 모닝스타를 한 손에 하나씩 들고 빙빙 돌면서 춤을 춘단 말이야!"

"우리 리즈 수련 잘하고 있네요."

"에반, 리즈는 이제 겨우 일곱 살이야……!"

"맞아요. 그 나이에 그 정도로 무기술을 숙련하려면 단순히 노력만으로는 안 된단 말이죠. 리즈 정말 대단하지 않아요?"

"아니야, 내가 내 딸에게 원했던 건 그런 게 아녔어……!"

옆에서 가만히 얘기를 듣고 있던 샤인은 미리엄을 동정했다.

그녀는 그러고도 한참을 더 엘리자베스의 놀라운 활약상에 대해 얘기하다가, 지친 얼굴로 에반에게 물었다.

"그래서…… 에반, 리즈의 교양 수업은 어떻게 되어 가고 있니?"

"음……."

엘리자베스의 뛰어난 재능에 놀란 나머지 대부분의 시간을 무기술 교육과 신체 단련에 투자하게 했다는 사실을 솔직히 말해 줄 수는 없었다. 에반은 미리엄의 붉은 눈을 슬쩍 피하며 말했다.

"이제 곧 본격적으로 시작할 거예요, 미리엄 어머니. 적어도 어디 나가서 창피는 당하지 않게 잘 가르쳐 볼게요."
"말은 청산유수구나……. 정말 이대론 안 돼, 에반. 리즈에게는 지금 무엇보다도 상식이 필요해, 상식!"
"걱정하지 마시라니까요. 제 동생인데 잘 가르쳐야죠."
"정말 믿어도 되는 거지……?"

못내 의심스러운 표정으로 에반을 빤히 바라보는 붉은 머리 미녀. 에반은 그녀를 마주하며 문득 떠오른 것이 있었다.

'그러고 보면 원래 미리엄 어머니가 요마대전3의 메인 악역 중 한 명이었지.'

붉은 머리에 붉은 눈, 화려하고 압도적인 미모. 그 안에 품은 처절한 독기와 원한. 후작가의 재보를 멋대로 끌어다 쓰는 과감함!
그녀는 게임 속에선 요마왕도 혀를 내두를 악녀였다. 엘리자베스가 살아나고, 부부 금슬도 더할 나위 없는 지금은 내용물이 완전히 다르지만, 비주얼만큼은 여전했다.
오히려 지금 그녀는 게임 속 일러스트보다 더 아름다우니 표정만 조금 관리하면 분위기는 더 살아날 것이다.

"미리엄 어머니, 어머니가 한 가지 부탁을 들어주신다면 제가 리즈의 교양 수업에 좀 더 힘을 써 볼 수도 있는데."

"음?"

미리엄의 귀가 쫑긋했다.

에반은 진지한 표정으로 그런 미리엄과 마주하며 선언했다.

"미리엄 어머니, 셰어든의 흑막이 되어 주세요!"

❀ ❀ ❀

미리엄에게 대강의 사정을 설명하고 그녀를 납득시키기까지는 제법 오랜 시간이 걸렸다.

"흐음, 그렇구나."

미리엄은 에반이 뇌물로 바친 술─형제 와이너리에서 생산한 최고급 벌꿀술로 아직 시중에도 풀리지 않은 것이었다─을 잔에 따라 마시며 눈을 게슴츠레하게 떴다.

"예컨대 나를 미끼로 삼아 네게 겁을 먹고 음지로 숨어든 자들을 끌어내 숙청하려는 계획이라는 거지?"

"뭐 그런 비슷한 거죠."

"나쁘지 않은 생각이구나. 지금 셰어든이 겉으로는 마냥 밝고 행복해 보이지만 셰어든의 모든 구성원이 자기 처지에 만족하고 있지는 않을 테니까. 불과 몇 년 전까지만 해도 제 처지에 과분한 것을 꿈꾸는 자들이 우리 그이의 신경을 거스르곤 했지."

단지 지금은 에반이라는 절대 무력 앞에 그런 이들이 모두 숨죽이고 있을 뿐, 그렇다고 그들이 아예 사라진 것이 아니다. 에반이 모종의 이유로 없어지거나, 약화되는 순간을 기다리고 있을 뿐이다.

"뭐, 나는 기어오르지 않는다면 그냥 놔둬도 된다고 생각하고 있었는데…… 네 생각은 조금 다른 모양이구나. 역시 에반이야."

"미리엄 어머니는 원래 저를 뭐라고 생각하고 계셨던 거예요……?"

"방금 내가 말했잖니? 난 눈에 보이지 않으면 방에 벌레가 있어도 굳이 손을 대지 않는 타입이란다. 반면 에반 너는 아무것도 없는 방을 샅샅이 뒤지고 소독하고 끝내 집을 통째로 갈아 버리고 새로운 집을 만든 후에야 안심하는 타입이고."

"큭……!"

엄청나게 반박하고 싶지만, 그렇지만 마땅히 반박할 수가 없다……! 어머니들이란 어째서 하나같이 이런 초능력을 가지고 있는 것일까?

에반은 과연 미리엄이 요마대전3의 최종 악역 중 한 명으로 활약할 만한 능력을 지니고 있음을 인정했다. 그런 의미에서 재차 강력하게 부탁했다.

"미리엄 어머니의 카리스마라면 분명 가능할 거예요. 더구나 후작가 제2부인이라는 위치는 욕심 많은 것들을 끌어내기에 딱 좋은 위치니까!"

"그야 에반, 네 존재가 없었더라면 내가 후작가를 먹어 보겠다고 나서도 다른 사람들이 보기에는 그리 이상하지 않았을 거란다. 하지만 생각해 보렴. 소가주로는 에릭이 확고하게 자리 잡아 잘 해내고 있고, 네가 턴전 기사단을 맡아 전폭적으로 에릭에게 협력하고 있는 상황에서 내가 음모를 꾸민다고 해 봤자 주제 모르고 설치는 여자라는 생각을 하지 않겠니?"

"그야 미리엄 어머니 혼자만 나선다면 그렇게 보이겠죠. 하지만 신전 세력이 출동한다면…… 아니지, 미리엄 어머니께 붙는다면 어떨까요!"

그렇다. 에반은 세르피나를 또 다른 악의 축으로 만들 생각이었다! 그뿐인가? 형제 코퍼레이션의 공동대표인 메이벨도 악역이 되어야만 했다.

이 세 여자가 뭉친다면 후작가를 집어삼킨다는 계획도 그럴싸해 보일 것이다! 거기에 지금 에반에게 협력하고 있는 대형 길드 중 일부를 움직인다면 빈틈이 없어지겠지.

에반은 자신이 급조해 낸 계획에 전율했다. 이거다. 이거라면 요마대전3보다 더한 스토리를 만들어 낼 자신이 있었다!

"어, 으으음, 이 장난질에 대체 몇 명이나 희생시킬 생각이니, 에반……?"

"작당의 설득력을 얻을 수 있을 만큼 많은 숫자요."

"후, 가끔 너랑 얘기를 하고 있으면 레디네 언니랑 얘기를 하는 것 같단 말이야."

"그런 말씀 하시면 어머니한테 이를 거예요."

사실 에반도 일부 공감하는 바가 있었지만 그런 생각을 입 밖에 냈다간 어머니에게 혼날 것이 분명했기에 일부러 모르는 척을 했다. 그 마음을 눈치챈 미리엄이 코웃음을 치며 말했다.

"아무튼, 그래. 우습지만 좋은 생각이기도 해. 쓰레기들을 한데 모으면 자연히 그와 반대되는 보석의 원석도 골라낼 수

있을 테니까. 에반 네 진의도 그것 아니니? 믿고 일을 맡길 만
한 사람들을 찾아내는 것."

"역시 미리엄 어머니야. 바로 알아보시네요."

"그러면 나 말고 다른 배역도 필요하겠구나? 쓰레기를 거
르고 골라낸 원석을 갈고 닦아 줄 배역 말이야."

"아, 선역이요? 그건 이미 생각해 둔 이들이 있어요. 피닉
스 길드라고 저랑 무척 친한 대형 길드가 있거든요."

특히 에반의 전폭적인 지원을 받아 이번에 드디어 피닉스
길드의 마스터가 된 엘로아와는, 이전 마나로드에 함께 여행
을 다녀온 후로 벨루아뿐만 아니라 에반과도 친한 친구처럼
지내는 사이가 되었다.

······간혹 에반의 재력이나 무력에 관해 눈을 반짝이며 뜨
거운 코멘트를 남기기도 하지만 그것은 깔끔하게 무시하고 있
었다.

"피닉스 길드라면 강한 마도사 세력을 보유하고 있는 것으
로 유명한 길드 말이구나. 확실히 입지도 탄탄하고, 특히 대
공습 이후로도 셰어든 가문과 긴밀한 관계를 맺어 왔으니 인
과도 명확해. 좋은걸?"

"그럼 일단 대략적인 가닥은 그렇게 잡고…… 자세한 사항
은 나중에 다시 얘기해요. 제가 저택으로 찾아갈게요."

셰어든을 배경으로 벌이는 일이니 당연히 후작과 에릭에게도 말을 해야 한다. 물론 가족 모두를 이 연극에 끌어들일 생각은 없었지만 적어도 그들이 미리엄을 정말로 오해하는 일은 없어야 할 것이 아닌가.

"에반, 대가를 잊은 건 아니겠지? 이 술만으로는 안 돼. 우리 리즈에게 확실히 교양을 가르쳐야 한다. 왕도의 학자들이 혀를 내두를 정도로 똑똑하고, 공주님도 뒷걸음질로 물러날 만큼 교양 넘치는 아가씨로 만들어 줘야 해!"
"전자는 몰라도 후자는 쉬울 것 같은데요. 우리 기사단에 굴러다니는 공주님만 봐도……."
"응, 타국의 공주님을 기준으로 하자꾸나."

전투와 관련된 모든 일에 뛰어난 재능을 보이는 엘리자베스에게 본인이 원하지도 않는 공부를 시키자니 속이 쓰린 에반이었으나 어머니의 뜻을 완전히 무시할 수도 없는 노릇.
그는 결국 엘리자베스의 심층 교육에 나서는 수밖에 없었다. 역시나 본인의 저항이 무척 격렬했지만 에반의 뽀뽀 한 번에 넘어가 주었다.

"이거 다 외우면 오빠가 뽀뽀 더 해 주는 거야!? 그럼 바로 외울게!"
"그럼. 하지만 우리 리즈, 정말 나쁜 남자한테 잘 속아 넘어갈 것 같아서 오빠는 걱정이야……."

"리즈는 평생 에반 오빠랑 같이 있을 거니까 괜찮아!"

"응, 실은 그게 더 걱정이란다……."

❋ ❋ ❋

문제는 본격적인 시나리오 조작에 앞서 발생했다.

"그거 무척 재미있어 보이는구나."

"어…… 어머니?"

바로 가족회의 내내 에반의 얘기를 듣고 있던 레디네가 참
전 의사를 밝힌 것이다!

"에반 얘는, 미리엄한테 얘기를 하면서 왜 이 엄마한테는
얘기를 안 해 준 거니, 섭섭하게."

"아니, 하지만 어머니는 평소에 후작가 일에는 별로 관여하
지 않으시니까……."

"이런 역할은 얼마든지 환영이란다! 은밀히 후작가의 전복
을 꿈꾸는 2부인을 상대로 후작가를 지키기 위해 고군분투하
는 정실! 끝내 불여우를 완벽하게 퇴치하고 가정을 지켜 내는
부인! 이 얼마나 멋진 그림이니!"

"언니!? 제가 정말로 나쁜 것처럼 얘기하고 계신 것 같은

데요?"

"어쩜, 미리엄. 흥분하다 보니 말이 그렇게 나왔을 뿐이야. 이게 연극이라는 건 다 알고 있잖아."

미리엄이 눈을 가늘게 뜨며 말하자 레디네는 호호 웃으며 시선을 피했다.

설마 이 얘기에 어머니가 달려들 줄은 몰랐던 에반은 제법 망설였으나 아들의 심중을 알아차린 레디네는 더욱 강하게 밀어붙였다.

"결국은 후작가 내부에서 일어나는 소요가 아니겠니. 그러니 같은 후작가 내부의 인물, 내가 나서는 쪽이 더 깔끔하지 않겠어? 미리엄과 본래 가까운 위치에 있는 인물이었던 만큼 미리엄의 음모를 알아차리기에도 적절한 위치고, 동기도 확실하지. 뭐하면 나와 피닉스 길드가 연합하는 식으로 꾸며도 좋단다."

"확실히 그림은 잘 나오긴 하는데요."

지금까지의 얘기만으로도 이미 어지간한 메인 퀘스트의 줄거리를 듣는 기분이었다. 자신이 뼈대를 만들어 냈음에도 불구하고 얘기를 듣다 보니 그럴싸하게 느껴지게 되는 막장 스토리의 마력!

"어미가 원하는 건 별거 없어요. 그냥 오늘 미리엄이 들고 와서 자랑했던 술 세 병 정도면 된단다."

"어머니……."

제대로 된 값에 팔아먹기도 전에 가족들에게 다 털리게 생겼다. 그 옆에서 군침을 삼키고 있는 에릭마저 괜히 얄미웠다.

한편 후작은 근심스러운 표정으로 미리엄을 바라보고 있었다.

"거짓으로 꾸미는 것은 좋다만, 그러다 정말 미리엄이 오명을 뒤집어쓰게 되면 어떡하려는 거냐. 에반, 생각해 둔 바가 있니?"

"셰어든의 밑바닥 깊숙이 가라앉아 있던 오물들까지 모두 밖으로 끌어내는 데 성공하고, 그에 맞서는 사람들을 확보하고 길러 내는 작업이 끝나면 연극도 더는 할 필요 없겠죠. 그때 가서 어머니랑 미리엄 어머니가 포옹 한 번 하고 힘을 합쳐 오물들을 청소하면 연극을 깔끔하게 마무리할 수 있을 거예요."

'연극'이라는 말답게 마무리 계획까지 실로 깔끔했다.

악역 측에 붙었던 놈들은 어차피 다 죽게 될 테니 아무 말도 할 수 없을 테고, 선역 측에 붙었던 이들은 끌어모은 것을 모두 내던지는 악역의 모습에 더는 의심을 하지 않게 될 것이다.

"과연, 미리엄이 레디네와 대립각을 세웠던 것은 처음부터 셰어든을 위해서였다고 공표하는 것이구나."

"그렇게 셰어든의 찌꺼기들을 토벌하고 쓸 만한 인재를 구한다…… 으음, 나쁘지는 않아. 자원이 낭비될 수 있겠다는 생각이 들지만, 어차피 형제 코퍼레이션이 벌어들이는 돈이 워낙 많으니 그 정도는 써도 별문제 될 것 없겠고."

"조금 신나네요. 형제 코퍼레이션의 재력이 저한테 붙는 거잖아요? 거짓이라고 생각해도 짜릿한걸."

부모님들은 그런 말들을 하며 저마다 만족스러운 표정을 짓고 있었다. 그러나 에반은 다음 순간 빙긋이 웃으며 고개를 저었다.

"다들 무슨 말씀이세요. 단순히 셰어든의 찌꺼기들을 정리하는 선에서 만족할 거면 애초에 판을 벌이지 않았을 거예요."

"그럼 또 뭐? 내부 스파이라도 잡아내려는 거니?"

"아뇨, 그건 없어요. 지금 우리 방계는 무척 깨끗하니까 믿어도 될 거예요. 미리엄 어머니가 작전을 시행하게 되면 그들도 또 어떻게 될지 모르긴 하지만."

"그러면?"

셰어든의 문제 세력이나 후작가의 내부 세력을 정화하는 게 아니라면 또 무엇이 남는단 말인가.

고개를 갸웃하는 후작을 보며 에반은 씩 웃었다. 레디네가 설마, 하며 눈을 가늘게 떴다.

에반이 말했다.

"우린 거기에 마족까지 끼워 넣을 거예요."

"과아아아연……."

후작이 느릿하게 감탄사를 내뱉었다. 생각해 보면 당연한 일이다. 지금은 그 어떤 성보다도 견고한 후작가의 세력, 그들이 알아서 내부에서 붕괴한다면 누구보다 기뻐할 이들이 누구이겠는가.

방계? 탐험가들? 왕족? 아니! 과거 한차례 셰어든을 노렸으며 지금도 그들의 틈이 드러나기만을 기다리고 있을 마족 세력일 것이다! 작은 떡밥만 던져 줘도 당장 달려들어 물 정도로 기뻐하리라!

"충분히 그들을 엮어 넣을 수 있겠구나!"

"미리엄 어머니 하시기에 따라선 그들의 바닥까지 드러낼 수 있을지도 모르죠."

"아니, 갑자기 내 책임이 너무 막중해졌는걸? 에반, 내가 마족을 속일 수 있을 거라고 생각하는 거니?"

"미리엄 어머니 카리스마라면 얼마든지 가능해요."

점점 더 커지는 스케일에 무서워졌는지 미리엄이 눈가를 파르르 떨었으나 에반은 그녀의 엄살에 넘어가지 않았다.

이미 역사가 달라졌다지만 그렇다고 그녀의 포텐셜이 어디로 가겠는가? 그 담대하고도 치밀한 성격은 그녀가 온전히 타고난 것이다.

그녀가 있기에 에반도 감히 인간뿐만 아니라 마족 전체를 대상으로 하는 연극을 무대 위에 올릴 생각을 할 수 있었다.

"하지만 그건 너무 위험하다, 에반. 미리엄이 마족을 직접 만나는 일도 생기게 될 것이 아니냐. 아무리 그래도 사랑하는 아내를 그런 위험한 상황에 처하게 할 수는 없어."

"여보……!"

"아뇨, 괜찮아요. 보디가드를 붙일 거니까."

"보디가드?"

"네."

에반은 자신을 믿으라는 듯이 고개를 끄덕이며 추가로 설명했다.

"현시점 셰어든 최강의 무력, 어스트레이도 조금 균열이 일어나는 모습을 보여 줘야 마족들도 이게 진짜라고 생각하고 기어들어 오지 않겠어요? 그 어스트레이의 배반 세력과 미리엄 어머니가 한편을 먹는 것처럼 하면서 그들로 하여금 미리엄 어머니를 호위하게 할 거예요."

"정말 철저히 하는구나, 에반……."

그다음 날, 에반은 어스트레이 단원 중에서도 가장 표정 변
화가 적고, 자신의 명에 충실하게 따를 수 있는 이를 선발하
여 사정을 설명하고 미리엄의 호위로 붙이게 되었다.

그는 바로 올해로 열네 살이 된 소년 궁수, 진이었다.

❋ ❋ ❋

"부르셨다고 들었습니다, 단장님."

"진, 어서 와."

시나리오의 두 주역이 각각 미리엄과 레디네로 결정 난 다
음 날, 에반은 곧장 업무에 돌입했다. 에반 스스로 명명하길 '
뉴 시나리오 작전'에서 가장 우선시되는 것은 당연하게도 시
나리오의 주역인 미리엄의 안전.

호위로 진을 선택한 것은 그만큼 진의 무력이 뛰어나서이
기도 했지만, 용안을 지닌 진이 있으면 어지간한 사태는 미리
파악하고 대응할 수 있기 때문이기도 했다.

"대략적인 사정은 이미 내가 설명했지? 진, 너는 지금부터
미리엄 어머니를 도와줘. 미리엄 어머니는 스스로의 안전을

걸고 세어든의 어둠을 걷어 내려 하고 계시거든. 네 도움이 많이 필요할 거야."

"단장님께 도움이 되는 일이라면 뭐든지 하겠습니다. 제게 중요한 일을 맡겨 주셔서 감사드립니다."

으음, 이제 겨우 열네 살이니까 조금은 더 편하게 대해도 될 텐데…….

하지만 진의 그런 면 때문에 믿고 일을 맡길 수 있는 것이기도 했기에 에반은 녀석을 보며 언제나 살짝 복잡한 심경이었다.

"진, 이번 일을 잘 해결하면 뭐든 원하는 걸 한 가지 들어줄게."

"그, 그렇다면."

녀석에게 뭐라도 해 주고 싶어 에반이 던진 말에 진이 민감하게 반응했다. 용의 그것을 닮아 크게 번뜩이는 진의 두 눈이 에반을 똑바로 바라보았다.

"저도 단장님의 제자가 될 수 있을까요……?"

"……엥? 아니, 내가 너한테 더 가르쳐 줄 만한 게 뭐가 있다고?"

"꼭 단장님의 제자가 되고 싶습니다!"

진의 눈에서 섬광이 터져 나오는 것만 같았다. 아무래도 진은 에반의 제자라는 타이틀에 과도한 의미를 부여하고 있는 모양이었다.

하지만 녀석이 자신을 생각해 주고 있다는 게 고맙기도 해 순순히 고개를 끄덕여 주었다.

"그래, 이번 일이 끝나면 그렇게 하자. 진한테 가르쳐 줄 만한 걸 미리 생각해 놔야겠네."

"정말 고맙습니다, 단장님……!"

진은 지나치게 감격한 나머지 울 것 같은 표정이었다. 에반은 녀석을 가까이 오게 해 머리를 쓸어 주면서도 살짝 걱정이 되어 물었다.

"진, 여자애들하고는 친하게 지내고 있지……?"

"갑자기 왜 그런 질문을……?"

"아니, 별 의미는 없어. 그냥 너도 이제 다 컸으니까 여자 친구가 필요하지 않을까 싶어서."

"여자 친구라니."

진은 질색하는 표정을 지으며 고개를 저었다.

"여자랑 엮이면 인생이 피곤해질 뿐입니다, 단장님. 그 두

꼬맹이만 봐도 알 수 있습니다. 여자란 생물은 남자를 괴롭히기 위해 태어난 생물입니다. 전 거짓 없이 소통하고 친하게 지낼 수 있는 남자가 좋습니다."

그 말을 듣는 순간 에반이 그대로 굳었다. 혹시 이 녀석, 어쩌면 이 녀석 정말……!
그는 진이 그를 의심스럽게 여기기 전에 어떻게든 태연한 표정을 지어 보이며 재차 말했다.

"아니, 그…… 쌍둥이들은 너랑 친하게 지내고 싶은 마음을 다소 과격하게 표현하고 있을 뿐이야. 게다가 세상엔 다른 좋은 여자들도 많고. 세상은 넓고 사람은 많단다. 일부만 보고 전체를 판단하는 건 굉장히 큰 잘못이야."
"저도 물론 그렇게 생각합니다. 당장 단장님께서 연을 맺으신 분들은 무척 아름답고 성숙하며 현명하고 자애로운 분들이시죠."
"음, 그 정도까진 아닌 것 같은데……."
"뭣보다 그분들이 현명하다는 것을 잘 알 수 있는 점은, 바로 그분들이 좋은 남자를 알아보는 눈을 가지고 있다는 점입니다."

자신의 말에 심취한 진은 에반이 반박할 틈도 주지 않고 말을 이었다.

"그렇기에 단장님을 일찍이 알아보고, 다른 경쟁자를 허용하면서까지 단장님의 여자가 되려 한 것입니다. 그 과단성 있는 결단은 뒤에서 지켜볼 뿐이었던 저조차 감탄할 정도였습니다."

　"어, 음……."

　"그분들께서 단장님의 관심을 얻기 위해 때론 투쟁하고 때론 협동하며 암묵적인 질서와 서열을 만들어 내는 과정은 가히 국가의 탄생을 보는 것만 같았습니다."

　당시 여자아이들 사이에 그렇게나 치열한 고뇌와 갈등, 결단과 고행이 있었단 말인가!

　"아무튼 좋은 여자의 조건을 정리하자면 바로 보는 눈이 좋아야 한다는 것입니다. 바로 이 점을 들어 보편적인 결론으로 넘어갈 수 있습니다. 저를 좋다고 하는 여자는 판단력이 부족하거나, 저를 속여 넘기려고 작정한 악의 축이기 때문에 결코 그에 응해선 안 됩니다."

　"진, 자기 비하는 안 된다고 했지."

　"윽."

　대체 무슨 말을 하려나 싶었는데 결론이 이거라니. 어스트레이에 속해 다른 아이들과 교류하며 자라나면서 제법 많이 괜찮아졌다고 생각했는데 아직 근본적인 부분은 하나도 변하질 않았다.

에반은 어처구니없는 말을 늘어놓는 진의 이마에 딱밤을 먹이며—녀석은 그것조차 좋아하고 있었지만—단호한 어조로 말했다.

"만약 다른 사람이 진을 좋아하는데, 네가 스스로 그런 식으로 말하면 널 좋아하는 사람의 기분은 어떻겠어? 나도 마찬가지야. 내가 예전에 분명히 네 눈을 좋아한다고 했잖아."

"으, 그건…… 단장님이시니까."

"내 눈이 이상하다고?"

"아, 아뇨."

진은 에반의 말에 화들짝 놀라 고개를 저었다. 그는 피식 웃곤 재차 녀석의 머리를 쓰다듬어 주었다.

"그러니까 앞으로 그런 말은 절대 하지 마. 너 자신을 아끼지 않고선 다른 사람도 사랑할 수 없을 테니까. 알겠어?"

"그으으…… 넵."

"그래. 너한텐 좋은 눈이 있잖아. 그 눈으로 봐서 진실인 것은 오해하지 말고 그냥 믿도록 해. 네 눈에는 그 정도의 힘이 있으니까."

"넵……!"

에반의 진지한 말에 진은 볼을 새빨갛게 물들이며 붕붕 소리가 나게 고개를 끄덕였다. 뒤에서 그 촌극을 가만히 지켜보던 샤인은 속으로만 생각했다.

'여자에 대한 관심을 되찾게 해 주려고 하시는 건 알겠지만 저건 역효과 같은데…….'

남자여도 반할 것 같은 미모의 얼굴을 들이대며 남자여도 반할 법한 직구를 마구 던져 대고 있으니 어지간한 여자로는 저 임팩트를 결코 넘어설 수 없을 텐데.

다만 결코 그 말을 입 밖에 내진 않을 것이다. 에반에게 얻어맞을 테니까. 샤인이 남몰래 그런 생각을 하고 있는 사이, 에반은 진에게 보다 구체적인 지시 사항을 내린 후 당장 그를 후작가로 파견했다.

물론 24시간 내내 미리엄을 경호하는 것은 아니고, 필요한 때, 중요한 순간에만 그녀를 밀착 호위하는 것이 주된 임무였다.

"공자님, 웬일로 여기까지 직접 부르셨어요?"

"아, 세르피나 누나. 왔어요? 신전에선 하기 힘든 말이라서요."

에반이 다음으로 만날 사람은 바로 현재 대지교단 셰어든 교구의 실세 중의 실세인 세르피나.

어스트레이의 프라임 나이트인 라이한의 두 연인 중 한 명이기도 했으며, 본인이 지니고 있는 신성력도 요마대전4의 네임드답게 굉장했다.

"그런 만큼 악역으로 나서면 포스가 상당할 거란 말이죠. 미리엄 어머니와의 조화도 기대할 수 있고."

"아니, 공자님. 제가 악역이라니 그게 무슨 말씀이세요. 전신을 모시는 신관이라구요!?"

"그리고 이전 후작가와의 합작으로 자신을 괴롭히던 주교를 천국으로 보내 버린 화려한 전적도 갖고 있죠."

"이제 와서 그 얘길 꺼내시는 건가요!?"

에반도 그 점은 미안하게 생각하고 있었다. 다만 실제로 그것이 그녀와 후작가의 관계를 설명하는 데 있어 유용하게 써먹을 수 있는 근거라는 것도 분명했다.

"이게 다 모두 잘 먹고 잘 살자는 뜻에서 하는 일이에요, 누나. 더구나 진짜 나쁜 짓을 하라는 것도 아니잖아요. 자기 자신의 몸을 내던져 도시의 모든 부정과 魔를 끌어모아, 모조리 한데 몰아넣고 신성한 신의 불꽃으로 살라 정화하는 진정한 성전사…… 어때요, 누나. 그럴듯하죠. 이건 역사 한 페이지 정도는 장식할 수 있어요. 대주교 승진의 각이 보이지 않아요?"

 "하지만 그러다 한 발짝만 엇나가면 저까지 불타 버릴 것
같아서 무서운걸요…….."

 칫, 눈치 빠르긴. 에반은 어깨를 으쓱이며 최대한 태연한
표정으로 준비해 둔 카드를 꺼내 들었다.

 "라이한 형하고 같이할 시간이 늘어날 텐데요?"
 "무슨 일이든 시켜 주세요, 공자님."

 에반이 준비했던 카드의 위력은 굉장했다! 눈을 반짝이며
덤벼드는 세르피나에게 에반이 차근차근 설명했다.

 "지금 라이한 형이 어스트레이에서 차지하고 있는 입지를
봐요. 물론 우리끼리는 프라임 나이트라며 대접해 주고 있지
만 외부에서 보기엔 별것 아니란 말이죠. 그러면서 실제 역할
은 어떻죠? 압도적인 능력을 지닌 탱커로서 매번 활약하고 있
고 자연히 가장 눈에 띄는 사람도 라이한 형이에요."
 "그렇죠. 그 덕에 시민들 중에 라이한을 좋아하는 사람들도
많고요…….. 그래서 걱정이에요. 라이한은 이 이상 연인을 늘
릴 생각은 없다고 했지만 주위에서 보고 배우는 게 있으니까.
그이한테 접근하는 여자는 더 없었으면 좋겠는데…….."

어째설까, 자기 연인이 인기가 많다는 말을 하면서 세르피나의 얼굴 표정이 어두워지는 것은.

더구나 보고 배운다는 부분에서 누굴 보고 배운다는 것인지도 명확했다. 에반은 빨리 화제를 전환해야 할 필요성을 느꼈다.

"아, 아무튼. 그러니까 다른 사람들 눈에 라이한 형은 활약은 많지만 실제론 크게 대우받지 못하는 것처럼 보일 수 있어요. 그러니 라이한 형이 제게 반기를 들어도 별로 이상할 게 없다는 거죠."

"하긴 기사단에선 라이한의 나이가 제일 많기도 하고요. 어스트레이가 둘로 갈라진다면 도련님 반대편에 라이한이 서 있는 쪽이 가장 설득력이 있네요."

"바로 그거예요. 하지만 라이한 형은 방어 능력이 우수할 뿐, 공격 능력은 갖추고 있지 못하죠. 거기서 형은 생각하는 겁니다. 나 대신 에반을 공격할 사람이 필요하다…… 그래, 내 연인인 세르피나와 신전을 이용하자!"

오늘도 어김없이 훌륭한 시나리오가 탄생하고 있었다. 설득력과 개연성이 충분한 그의 시나리오에 어느덧 매료되는 세르피나!

"세르피나 누나는 사랑을 위해, 그리고 권력을 위해 라이한

형을 돕기로 합니다. 신전에서 자신만을 따르는 광신도 세력을 끌어모아, 은밀히 신전 세력을 하나둘씩 세뇌하기 시작합니다…… 그렇게 되면 다음은 어떻게 될까요!"

"신전 세력이 약화되면 마족들이 나타나기 쉬운 환경이 되지 않을까요?"

"바로 그거예요! 마족이 나타나겠죠!"

"엑, 나타나게 놔두는 건가요!?"

무슨 말씀을, 오히려 마족들이 쉬이 셰어든에 모습을 드러내도록 유인하는 것이야말로 세르피나의 진정한 임무다! 에반은 가파른 목소리로 설명을 이었다.

"누나는 미리엄 어머니와 함께 마족에게 접촉해 그들이 셰어든을 집어삼킬 수 있게끔 도와줄 것을 약속합니다. 이때 물론 그럴듯하게 보이기 위해 협력하는 대가로서 상당한 걸 요구해야 해요. 마족화 같은 건 뒤탈이 심하니까 요구하지 말고요, 돈이랑 아티팩트 같은 걸로."

"공자님은 이제 심지어 마족들한테까지 뜯어먹으려고 하시는 거예요!? 누가 형제 코퍼레이션 공동대표 아니랄까 봐……!"

"아, 그 공동대표 중 마지막 한 명인 메이벨도 배반 측이에요. 그쯤은 되어야 우리랑 게임이 되는 것처럼 보이니까."

"아, 아아아……."

에반이 세운 거대한 계획의 전모를 엿본 세르피나는 그저 입을 떡하니 벌리고 있을 뿐이었다.

그러나 이것만은 도저히 묻지 않을 수 없었기에, 세르피나는 용기를 내어 에반에게 질문했다.

"아니, 도련님. 이렇게 일을 크게 벌이시면…… 그것들을 정리할 땐 대체 어떻게 하시려고요?"

"어떻게 하냐니…… 헤븐 프레스?"

"?"

"그걸로도 안 되면 헤븐 쓰로우까지 쓰면 되겠죠?"

"??"

"왜 그렇게 불안해해요, 누나. 헤븐 스텝이랑 헤븐 블레이드도 일단 준비해 둘게요."

"???"

두 사람 사이에는 치명적으로 말이 통하지 않았다. 그것은 세르피나가 에반의 무력을 정확히 이해하고 있지 못하는 데서 기인했다.

"아무튼 누나는 그런 걱정은 할 필요 없어요. 진짜로 위험한 것들은 제가 알아서 처리할 거거든요."

"그것 참 든든하네요…… 혹시나 해서 여쭤보는 거지만 정말 저랑 라이한이 위험해질 일은 없는 거죠?"

"약속할게요. 그러고 보니 덤으로 약속할 수 있는 게 하나 더 있네."

에반은 집무실 뒤쪽 와인 셀러에서 보관하고 있던 술을 한 병 꺼내어 세르피나에게 건넸다. 미리엄과 레디네에게 건넸던 바로 그 벌꿀술, 피치 멜로멜이었다.

결론부터 말하면, 처음부터 그걸 건넸으면 귀찮게 얘기할 필요가 없었을 것이다.

벌꿀술이 든 병을 소중히 끌어안고 세르피나가 귀가한 후로도 아직 에반이 만나야 할 사람이 남아 있었다. 귀족과 신전을 만났으니 이젠 상인을 만날 차례인 것이다.

"좋아, 그러면…… 이제 메이벨인가."

"그 누나랑 제법 오래 못 만나시지 않았습니까? 덮쳐지지 않게 조심하십쇼."

"서클릿을 쓰고 증폭된 매력에 홀라당 넘어간 메이벨로부터 도망쳤던 게 마지막이었지……."

그땐 정말이지 목숨을…… 아니지, 정조를 걸어야만 했다. 에반은 혹시나 하여 서클릿의 매력 증폭 기능이 활성화되어 있지 않은지 몇 번이고 점검한 후에야 메이벨을 불렀다.

"도련님이 저를 직접 이곳으로 불러 주시다니 이게 얼마 만인지 모르겠어요!"
"매번 네가 먼저 찾아오니까 그런 거잖아."

더구나 이젠 메이벨과도 만나고 싶다고 해서 바로 만날 수 있는 게 아니다.
메이벨은 에반에게 공동대표로 임명받은 후부터 형제 코퍼레이션을 위해 불철주야 뛰어다녔고, 사업이 확장되고 그녀의 인맥이 늘어나게 되면서 지금에 이르러선 외국 출장을 위해 후작저의 게이트를 빌리기까지 하는 상황이었다.

"아직 저를 잘 모르시네요, 도련님. 전 도련님이 부르신다면 무슨 스케줄이든 다 제쳐 놓고 달려올 텐데."
"아니, 아주 잘 알고 있어. 그러니까 내가 널 안 부르는 거라고, 그러니까."

에반은 언제나와 다름없는 메이벨의 모습에 내심 안도하며 그녀에게 이번 일의 전모에 대해 설명해 주었다. 메이벨은 눈을 반짝이며 그 얘기를 들었다.

"어쩜, 상회를 완전히 집어삼키기 위해 공동대표를 배신하다니 베이페카에서 흔히 있을 법한 일이네요!"

"하지만 지금까지 우리의 관계에 비추어 보면 그것만으론 설득력이 떨어져. 그러니까 메이벨, 너는 마족들한테 그걸 요구하는 거야. 사람을 조종하는 비술을 말이지. 그쯤 되는 미끼가 아니면 너만 한 거물이 움직일 만한 이유가 되지 못하니까."

주인을 사랑하고 깊이 따르며 능력도 출중하여, 주인과 거대한 상회를 공동 운영할 만큼 출세하고 끝내는 귀족위에까지 오른 하녀.

그러나 주인은 하녀에게 끝내 마음을 주지 않고, 결국 하녀는 인간의 마음을 조종한다는 금기에 손을 뻗고 만다. 그 대가는 마족과의 결탁, 그 끝에 기다리는 파멸!

그림으로 그린 듯한 비극 로맨스의 전형이 아닌가!

"사람을 조종하는 비술을…… 마족들한테, 말인가요."

어째선지 그 부분에서 메이벨이 묘한 표정을 지었다. 그것을 읽어 내지 못한 에반이 거침없이 말을 이었다.

"물론 정신을 관장하는 마법은 무척 어려워. 제아무리 마족들이라고 해도 쉬이 다룰 수 없지. 그야말로 셰어든의 주축인 어스트레이 나이츠를 무너트리는 일쯤 되지 않으면 말이야."

"그리고 셰어든 무력의 핵심인 도련님을 무너트리는 일쯤 되지 않으면요…….”

“그래. 더구나 그 비술로 나를 조종할 거라는 얘기까지 하면 그들도 전력으로 협력하지 않을 수 없겠지.”

“그렇지만 도련님.”

메이벨이 그녀답지 않게 애매한 미소를 지으며 에반에게 말했다.

“그러면 정말 도련님이 위험해지시잖아요? 마족들이 정말 작정하고 도련님께 정신 계열 마법을 걸려고 한다면…….”

“메이벨, 내가 여태까지 대체 뭘 해 왔다고 생각하는 거야? 내 저주 내성과 마기 내성을 뚫을 수 있는 정신 마법은 없어.”

차라리 놈들이 타겟을 에반 한 명에게 고정하는 것이 가장 일이 쉽게 된다.

물론 어스트레이 나이츠의 다른 멤버들도 저주 내성과 마기 내성을 부지런히 수련하고 있지만 아무래도 에반에 비하면 조금 부족할뿐더러, 에반의 지인 중에는 아예 내성을 갖고 있지 않은 사람도 있으니까.

“그러니까 이번 일의 가장 중요한 포인트는 놈들의 모든 타겟을 강제로 내게 집중시키는 거야. 더구나 어차피 언젠가 일어날 혼란이라면 내가 통제하고 싶기도 하고.”

"어차피 언젠가 마족들이 셰어든을 침공할 것이라고 말씀하시는 건가요?"

"물론이지. 놈들의 궁극적인 목표는 언제까지고 변하질 않거든."

요마대전과 관련된 모든 시나리오를 겪어 본 에반이기에 단언할 수 있다. 마족들은 셰어든에서 일어나게 될 이 소동의 떡밥을 물지 않고는 견디지 못할 것이다.

특히나 지금의 에반은 마족들에게 있어 지극히 먹음직스러운 사냥감일 테고…….

"도련님은 정말이지 중간이 없으신 분이네요."

그런 생각을 하고 있자니 메이벨이 에반의 한 손을 붙잡아 가만히 쓰다듬으며 웃었다.

"스스로 몸이 허약하다며 그렇게 몸을 사리실 때는 언제고, 지금은 또 터무니없이 위험한 길을 스스럼없이 걸으려 하시니."

"무슨 말이야, 메이벨. 나도 내가 할 필요 없는 일이었으면 굳이 이렇게까지 하지 않으려 했거든?"

에반 외에 보다 강하고, 마족의 음모에 의연하게 대처하며, 요마왕의 부활을 저지해 줄 수 있는 영웅들이 많았더라면 그도 그냥 아무 생각 없이 지낼 수 있었을 것이다.

하지만 이 세상이 그렇지 않은 걸 어떻게 하겠는가! 하물며 본래 시나리오를 이끌어 갔어야 할 세이브조차 에반이 돕지 않았으면 지금도 바닥에서 빌빌대고 있었을 것이다!

"하지만 도련님, 그렇게 겁 없이 돌아다니시다가 정말 앗 하는 사이 마족에게 매혹당하셔도 저는 몰라요."

"마족이 나한테 매혹되면 몰라도 내가 당할 일은 없어."

"어머나."

메이벨은 에반의 말에 그의 손을 쥔 손에 살짝 힘을 주며 웃었다.

"하긴 정말 그렇겠네요. 그런 의미에서 저도 도련님께 매혹 당할 것 같아요, 우우음……."

"뭘 그런 의미에서야, 인마."

에반은 자연스레 그의 손을 끌어당기며 입술을 쭉 내미는 메이벨의 이마를 밀어냈다. 하지만 그런 취급에도 익숙해져 투덜거리며 물러나는 메이벨에게 이번엔 에반이 먼저 다가가 키스했다.

"앗……."

"시간차 공격. 효과 발군이지?"

"아니, 그······."

그에게 키스를 받은 메이벨의 얼굴이 새빨갛게 물들었다.

좋아, 언제나 적극적으로 덤벼 오는 메이벨을 상대로 에반이 리드하기는 쉽지 않다. 그는 지금 이 순간의 메이벨의 얼굴을 똑똑히 기억해 두기로 마음먹었다.

그러나 그 구도는 그리 오래가지 않았다. 메이벨이 반격기를 꺼내 들었기 때문이다.

"도, 도련님도 참 어른이 되셨네요. 아, 그리 깊은 의미에서 하는 말은 아니고요."

"메이벨이 알고 있는 거라면 이젠 다들 알고 있다고 봐야겠네······."

여유로웠던 에반의 표정이 순식간에 썩어 들어갔다. 메이벨은 그 모습에 다시 쿡쿡 웃음을 흘렸다.

"아무튼 도련님께서 직접 맡기신 일이니 실수 없이 처리할게요. 세상 각지에 숨어 있는 모든 마족들을 끌어내 셰어든으로 데려와 보일 테니까요. 아니, 그 정도론 끝나지 않아요. 그들이 제 말 한마디에 이리저리 휘둘리도록 할 거예요. 도련님이 정리하기 좋게 한곳에 모아 놓을게요."

"아주 믿음직한 발언인데."

"믿으셔도 좋아요. 반드시 그렇게 될 테니까. ……그러니까 저도 도련님을 믿어도 될까요?"

"응?"

메이벨의 말에 에반이 고개를 들어 그녀와 마주했다. 메이벨이 전에 없이 진지한 표정으로 에반을 바라보고 있었다.

"마족 같은 것에 당하지 않겠다고 약속해 주세요. 그들의 정신 마법이나 매혹 같은 것에 당하지 않겠다고."

"안 걸릴 거라고 얘기했잖아."

"하지만 제가 마족들을 셰어든에 끌어들이는 셈이 되는데, 도련님이 덜컥 그들에게 안 좋은 일이라도 당하면 전 마음이 찢어져서 죽어 버리고 말 거예요."

"유난 떨기는…… 걱정하지 마. 절대 그런 일 없을 테니까."

"약속?"

"그래, 약속."

메이벨은 에반에게 확답을 받아 내고 나서야 안심한 것처럼 웃었다. 정말 평소답지 않은 모습이었다.

"그래 봤자 아직은 시작 단계니까. 마족들을 끌어들이는 건 조금 더 시간이 흐른 후의 일이야."

"네, 알고 있어요. 우선은 사전 준비만 해 두고 있을게요."

"그래. 이번 일이 잘 해결되면 네가 원하는 소원 하나는 들어줄 테니까 기대하고 있어."

에반의 말에 메이벨이 장난스러운 표정을 지었다.

"어머나, 정말 들어주실 건가요? 그런 거라면 제가 아주 오래전부터 꿈꾸던 게 있는데……."

"응, 그거."

"앗……."

메이벨이 재차 굳었다. 오늘은 이래저래 그녀가 에반에게 밀리고 있었다. 어쩌면 사방으로 퍼진 메이벨 이펙트 탓에 에반이 지나치게 메이벨에게 적응해 버린 탓일지도 몰랐다.

"물론 이번 일이 없었어도 그렇게 하려고 했지만, 마침 적당한 시기니까. 그러니까 잘해 줘야 된다, 메이벨."

"아, 아으으."

메이벨은 제대로 된 말을 입 밖에 내지 못하고 그저 어버버 고개만 끄덕일 따름이었다. 기사단 본부를 나갈 때까지 계속 그런 표정이었다.

"좋아, 그럼 이제 누가 남았지?"

"전 정말이지 도련님이 조만간 누군가에게 찔릴 것 같아서 걱정입니다……."

"냅 둬."

마지막 면담 멤버는 엘로아였다. 메이벨과 세르피나가 미리엄과 한편이 되어 악의 축을 연기한다면 엘로아는 레디네에게 협력해 던전 도시에 어둠을 불러오는 자들을 막아 내는 역할!

실질적으로 세이브 일행과 함께 움직이게 되는 것은 이들이 될 확률이 높았기에 에반 또한 그녀에게는 많은 신경을 쓰기로 했다.

"흠, 그러면 지금부터 미리 접촉해 두는 것이 좋겠어. 더욱이나 개인적으로도 그들을 평가해 두고 싶어서 말이야."

"제가 루이즈에게 지시해 둘 테니까 엘로아는 그들을 임시 파티, 혹은 용병쯤으로 취급해 주면 돼요. 실제로 제법 쓸 만할 거예요."

물론 지금 당장은 피닉스 길드의 마스터인 엘로아의 눈에는 절대 차지 않는 수준이겠지만 그들의 성장 속도는 얕볼 수 없다.

에반이 작정하고 그들의 수준에 맞춰 작성한 플랜에 따라

굴리기 시작하면, 잘하면 게임을 플레이하는 것보다도 빠른 속도로 강해질지도 몰랐다.

"이건 당장의 계획서예요. 미리엄 어머니의 계획에 따르면 여기 이 외곽 구역에서부터 일을 벌일 예정이라고 하시니, 우선은 길드원들을 보내 가볍게 정찰하는 것부터 부탁해요."

"과연, 범죄 집단을 인식하는 것부터 시작해서 천천히 충돌 강도를 높이자는 말이지? 그건 정말로 연극 시나리오 같은데."

"그야 초장부터 부딪쳐서 범죄 조직이 자라날 틈도 없이 부숴 버리면 안 되잖아요. 그래서 밸런스 조절을 맡은 엘로아의 임무가 막중해요. 물론 어지간하면 제가 미리 계산하고 행동 타이밍을 알려 드리겠지만."

이번 시나리오 진행에 있어서 에반은 선역 팀과 악역 팀 모두와 교류하며 그들의 구체적인 행동 방식과 타이밍을 지정하는 사령탑이었다. 되도록이면 서로에게 큰 피해를 내지 않으면서 일을 최종장으로 끌고 가는 것이 목표!

셰어든 내외부를 아우르는 막대한 작전지역을 전부 커버해야 하는 일인 만큼 결코 만만치 않은 일이었다. 일을 피하려다 일을 만든다는 말은 바로 이럴 때 쓰는 말이라고 할 수 있겠다.

"흐으음, 나는 상상도 할 수 없는 작전을 계획해 실행에 옮

기기까지. 공자는 뇌도 정말 섹시하구나."

"그런 거 아니니까 저리 가요. 나 혼자 생각해서 하는 일이
아니라니까요. 아니, 다가오지 말라고."

엘로아에게 에반의 재력과 권력과 무력에 이어 지력까지
어필해 버리고 말았다! 에반은 눈을 반짝이며 자신에게 다가
오는 혼기가 꽉 찬 여마도사를 억지로 돌려보내곤 헉헉 숨을
몰아쉬었다.

"엘로아를 마지막 협력자로 고른 건 잘못된 선택이었는지
도 몰라⋯⋯!"

"그러게 제가 도련님이 찔릴까 무섭다고 하지 않았습니까."

아무튼 이것으로 만나야 할 사람들은 모두 만났다.

덤으로 루이즈에게는 이미 대충 명령을 내려 두었지만, 어
차피 그녀 입장에선 여태까지 했던 일들과 비교해 그리 달라
지는 것이 없었으므로 순순히 고개를 끄덕일 뿐이었다.

"아⋯⋯ 아니지. 아직 한 사람이 남았구나."

"배역은 다 모인 것 같은데요."

"아니, 그게."

에반은 복잡 미묘한 표정으로 제 뺨을 긁적였다.

물론 이번 시나리오의 주역은 모두 모였다.

하지만 지금 중요한 것은 이 시나리오로 인해, 원래의 시나리오와 가장 크게 어긋난 사람이었다.

요마대전3의 메인 시나리오를 진행하며 주인공 일행의 성장을 도와줬어야 할 원래의 주역, 아리샤 폰 펠라티 얘기였다.

❀ ❀ ❀

아리샤는 홀로 수련장에서 구슬땀을 흘리며 레이피어를 수련하고 있었다.

이전 그녀는 던전에서 선풍의 레이피어라는 무기술을 배웠는데, 수년의 시간이 흐른 지금은 그것이 환풍의 레이피어로 발전해 있었다.

보다 빠르고, 보다 격렬했다. 무수히 몰아치는 검격은 가짜와 진짜를 구분할 수 없을 정도로 눈을 현혹시킨다. 그렇기에 환풍幻風이었다.

"아리샤, 오늘 저녁에 같이 식사하지 않을래?"

지극히 국지적으로 몰아치던 격렬한 바람이 에반의 말 한마디에 멈추었다. 아리샤는 산들바람을 만들어 내어 자신의 땀을 닦아 내며 에반에게 반문했다.

"식사는 매일 같이 하잖아? 기사단 식당에서."

"우리 둘이 따로 말이야."

단둘만의 식사 권유, 다른 말로는 그것을 데이트 권유라고도 한다. 에반에게서 나온 말에 아리샤는 비로소 때가 왔음을 직감했다.

그리고 그것은 또 한 가지의 사실을 시사하고 있었으나…… 아리샤는 거기에 대해서는 굳이 아무 말도 하지 않은 채, 에반이 마음을 바꾸기라도 할까 봐 잽싸게 고개를 끄덕였다.

"알았어. 단둘이지? 세레이나가 함께한다든가 하는……."

"레이는 물론이고 저녁엔 디오나도 없을 거야. 레스토랑 하나를 통째로 예약해 뒀거든."

"응, 알았어. 기대하고 있을게."

확실한 언질을 얻은 아리샤는 만족한 표정으로 고개를 끄덕였다.

둘의 대화는 지극히 은밀하게 이루어졌으며, 둘 외에 그것을 들은 이는 디오나뿐이었으나 이미 그녀는 벨루아에게 한차례 예절 교육을 받은 후였으므로 지극히 얌전히 그것을 지켜보고만 있었다. 바니걸 복장을 입고 있다는 점만 제외한다면 실로 완벽한 메이드의 귀감이었다.

"두 시간 후에 나가자."

"약속 장소는 따로 정하는 게 좋아."

"네가 원한다면 그렇게 해."

아무래도 데이트 분위기를 제대로 즐기려는 모양이었다. 에반은 눈을 빛내는 아리샤의 모습에 피식 웃곤 일단 그 자리를 물러 나왔다.

"두 시간, 두 시간이지? 지금부터 준비하면 어떻게든……!"

뒤를 돌아보니 아리샤가 곧장 목욕탕으로 돌격하는 모습이 보였다.

이전 드래곤의 레어에서 왕창 털어 온 '목욕탕 크리스탈'을 이용해 형제 목욕탕의 증설은 물론이고 어스트레이 본부에 딸린 목욕탕마저 온천화시켰기에 이제 어스트레이의 일원인 이들은 굳이 형제 목욕탕까지 갈 필요도 없었다.

'이렇게 될 줄 알았으면 굳이 형제 목욕탕 옆에 본부를 위치시키지 않아도 됐는데 말이지.'

물론 그것을 제외하고 봐도 입지가 좋으니 굳이 본부를 이전하는 일은 없겠지만 말이다.

그는 다음엔 본부 로비에도 커피 우유가 나오는 자판기를 설치해야겠다는 생각을 하며 제 방으로 향했다. 기왕 데이트를 하기로 했으니 그도 좀 차려입을 셈이었다.

"에반 오빠!"
"뭐, 뭐야!?"

그런데 하필이면 바로 그 타이밍에 세레이나가 그를 찾았다.
설마 방금 아리샤와 잡은 데이트 약속을 들었나 하는 생각에 에반이 움츠러드는데, 세레이나는 그런 건 전혀 중요하지 않다는 듯 그의 한 팔을 잡고 끌어당겼다.

"알, 우리 알!"
"우리 알은 아닌데. 일단 무슨 말을 하고 싶은지는 알겠어. 혹시 알에 변화가 있는 거야?"
"이쪽으로, 이쪽!"

얼마나 급했으면 평소보다도 사고력이 떨어진 것만 같다. 에반은 자신을 쭉쭉 잡아당기는 세레이나를 진정시키고는 함께 그녀의 방으로 향했다.

"디오나는 여기서 대기하고 있어."
"여성과 데이트 약속을 잡고 바로 다른 여자의 방으로 향하다니, 공자님도 정말 제법이세요."

"쉿."

세레이나의 방은 그녀의 취향을 드러내듯 벽지와 커튼, 심지어는 침대 시트까지 방 안이 온통 분홍빛이었는데, 그 안에 분홍색 옷을 입은 분홍색 눈동자, 분홍색 머리카락의 세레이나가 들어가면 조금 과장해서 그녀도 방의 일부인 것처럼 보였다.

"뽀뽀하고 싶어서 그렇게 보는 거야, 오빠?"
"아니, 그건 아닌데……."
"쪽."

변명은 소용없었다. 세레이나는 일부러 소리 내어 그에게 입맞춤을 하곤 그의 한 손을 잡으며 안쪽으로 이끌었다. 분홍색 침대가 있는 곳이었다.

"아니 레이, 잠깐만……."
"무슨 생각 하는지는 알겠는데 그게 아니구, 여기 있어."

그게 무슨 말인지는 그녀가 가리킨 곳을 보고 깨달았다. 침대 위에 드래곤의 알이 놓여 있었던 것이다.

처음 가져왔을 때에 비해서도 확실하게 커진 알은 푹신한 이불 위에 놓인 채 이리 흔들, 저리 흔들 혼자서 마구 움직이고 있었다.

　그래, 꼭 디X몬 알이 부화하는 순간처럼 말이다……!

　"처음엔 오빠가 말한 대로 뜨거운 크리스탈 사이에 놓고 돌보고 있었는데."
　"응."
　"어느 순간인가부터는 내 품을 원하더라구. 어쩌면 내가 지닌 테이머의 힘을 본능적으로 눈치챈 게 아닐까 싶었어."
　"하, 과연. 가능성은 있네."

　테이머는 단지 그 존재만으로 펫의 성장을 가속하고, 보다 강하게 만든다.
　단순한 엘리트 슬라임에 불과해야 할 루비가 크라켄을 막아 낼 정도의 불꽃을 만들어 낼 수 있게 된 것도 전부 세레이나의 능력 덕분이었다. ……아니, 어쩌면 단순한 엘리트는 아니었을지도 모르지만.

　'더구나 세레이나의 적성은 마족들도 탐을 낼 정도로 굉장했으니까. 드래곤 알이 거기에 반응하는 것도 그리 놀라운 일은 아니겠지.'

　애초에 에반 또한 그녀라면 드래곤을 부화시킬 수 있으리라 믿고 넘긴 것이기도 했다.

"믿고는 있었지만 정말로 그게 이루어지니 뭔가 현실감이 없는데……."

"그 마음은 알아. 나도 잠깐 멍하니 있었으니까. 하지만 오빠한테는 보여 줘야겠다고 생각해서……."

수줍게 웃으며 말하는 세레이나의 모습에 에반도 정말 이 알이 두 사람의 사랑의 결실이라도 되는 것처럼 느껴지기 시작했다. 그에게 죽은 드래곤이 들으면 가슴을 치고 한탄할 일이었다.

하지만 이미 죽어 버린 몹은 알 바가 아닌 에반은 주기적으로 흔들리는 드래곤 알을 그저 멍하니 바라보고 있었다.

하나의 생명이 태어나고자 하는 순간의 모습에는 기묘한 박력이 있었다. 하물며 지고의 존재 드래곤의 탄생이니 어련하겠는가.

"아."

그 순간, 알 위로 실금이 내달렸다. 세레이나는 무심코 에반의 손을 쥐고 세게 힘을 주었다. 에반은 숨도 제대로 쉬지 못하고 눈앞에 일어나는 일에 집중했다.

금은 점차로 알 이곳저곳으로 내달리는가 싶더니, 이윽고 보다 큰 금이 생겨났다. 그 사이에서 붉은빛이 새어 나오고 있었다. 강렬한 열기를 품은 빛이.

"태어난다."
"응."

쩌저적, 조금 크게 금이 갈라지는 소리가 난 직후.

알이 멋지게 두 쪽이 나 갈라지고, 그 안에서 작디작은 용
이 아장아장 걸어 나왔다.

[큐우우!]
"귀여워!"
"오, 오오오……!"

원래 새끼는 모든 종족을 불문하고 귀엽다지만 드래곤의
아이는 특히나 귀여웠다.

두 손바닥을 합치면 그 위에 올라갈 수 있을 만큼 작은 덩
치, 등을 빼곡히 뒤덮은 채 반짝이는 영롱한 비늘, 아직 작은
머리와 똘망똘망한 두 눈!

그 눈이 에반과 세레이나 사이를 왕복하는가 싶더니, 이내
세레이나에게 고정되었다. 마치 제 어미를 알아보는 것처럼!
진짜 어미는 이미 죽었지만 말이다!

[큐웃!]
"와아아아."

녀석은 작은 울음소리와 함께 세레이나의 품에 덥석 안겼
다. 세레이나는 순진한 감탄사를 흘리며 녀석을 쓰다듬더니
꺅꺅 소리를 질렀다.

"비늘이 차갑고 부드러워!"
[큐웃, 큐우웃!]
"그런데 어째 비늘 색이 좀 옅은 것 같은데. 아직 어려서 그
런가?"

막 태어난 드래곤의 비늘과 피부는 빨강에 약간의 크림이
섞인 듯 불투명한 색이었다. 그래, 굳이 말하자면 그것은 분
홍빛이었다.
그런 생각을 떠올린 순간 에반은 설마 하며 고개를 저었다.
아직 어려서 그럴 것이다. 분명히 그럴 터였다.

"밥 줘야 되는데. 오빠, 드래곤은 뭐 먹어?"
"드래곤은 굳이 뭔가를 먹을 필요가 없어. 일단 몬스터의
분류에 들어가니까, 마나만 먹으면 살 수 있지."
[쿳쿳!]

그런 에반의 말을 부정하듯 새끼 드래곤이 배고프다며 울
었다. 세레이나는 난감해하더니 일단 자신의 가슴팍을 감싼
옷에 손을……

"그마아아아아안!"

"칫."

[쿳!]

회심의 도발 작전에 실패한 세레이나가 혀를 차며 품을 뒤져 다른 먹을 것을 찾는데, 문득 그녀의 품에서 뛰어내린 드래곤이 에반의 손을 덥석 물었다.

제아무리 드래곤이라고 해도 새끼인 데다 아직 이도 제대로 나지 않은 녀석에게 물린다고 아플 턱이 없었으나…… 에반은 곧 녀석이 하고 있는 일이 무엇인지 알아차렸다.

"이 자식, 내 마나를 빨아먹고 있잖아……?"

"에반 오빠 마나를!? 그럼 이 아이가 죽지 않을까!?"

"레이, 넌 나를 대체 뭐라고 생각하고 있는 거니?"

그러나 세레이나의 말도 아예 틀린 말은 아니었다. 고작 몇 초간 에반의 마나를 빨아들였을 뿐인데 돌연 녀석의 눈이 핑글핑글 돌아가더니, 그 자리에 쓰러져 버린 것이다.

"설마 죽은 건 아니겠지?"

"그건 아니지만 오빠의 마나가 너무 강렬해서 기절한 것 같아."

마나를 빨린 결과 드래곤을 기절시키다니, 에반은 자신을 멍하니 바라보는 세레이나의 시선을 애써 피했다.

"이제 오빠한테는 함부로 못 덤벼들겠네, 우리 날개지렁이."
"일단 그 이름은 바꾸자. 하다못해 좀 더 그럴듯하게 줄여."
"음…… 날이?"
"조금만 더 힘을 내 봐."
"그럼 나르!"
"좋아, 그걸로 가자."

신기하게도 제법 그럴싸한 이름이 만들어졌다. 에반은 기
절한 나르를 세레이나의 품에 안겨 주곤 자리에서 일어섰다.
무척 신비한 경험이기는 했지만 그건 그거고 지금부터는 정
말 나갈 준비를 해야 했다.

"아, 레이. 너도 알고 있겠지만 그 녀석은 최대한 감추면서
키워야 해."
"응, 하지만 나 힘내서 키울게. 우리 나르가 사람들한테 인
정받을 수 있게 될 때까지……!"
"몰래 낳은 정부의 아이를 키우는 것처럼 얘기하지 마!"

"아리샤, 여기야."

"아!"

그날 저녁, 약속대로 에반은 아리샤와 거리에서 만났다.

매일 함께 있긴 하지만 평소엔 훈련용 복장이나 의식용 복장을 입다 보니, 외출용으로 마련한 캐주얼한 차림새로 만나는 것은 어딘가 낯간지러운 데가 있었다.

"에반!"
"예쁘다, 아리샤."

아리샤는 자신에게 없는 것을 탓하지 않고, 있는 것을 최대한 활용해 스스로의 매력을 살리는 방법을 배웠다.

마치 요정처럼 가녀린 그녀의 몸을 감싼 순백의 원피스는 과장할 것도 없이 그녀를 여신처럼 보이게 했다. 허리를 감싸는 큰 벨트로 악센트를 준 점도 멋졌다.

"정말? 고마워, 에반도 너무 멋져."

반면 에반은 장미 넝쿨 반지를 제외한 모든 아티팩트를 전부 해제했으니 사실 매력 수치만 놓고 보면 평상시 쪽이 더 높을 테지만 그런 자잘한 일은 지금은 따지지 않기로 했다.

아리샤는 그저 에반이 자신을 위해 실용성을 중시하는 아티팩트들을 놔두고 멋진 옷을 챙겨 입고 나왔다는 사실에 감격하고 있었다.

"좋아, 그럼 가자."

에반은 그녀를 자연스레 에스코트해 레스토랑으로 향했다.
두 사람의 데이트를 목격한 사람들은 그림 속에서 튀어나온
듯 미려한 두 사람의 모습에 그저 감탄사를 흘릴 뿐이었다.

"어서 오십시오, 기다리고 있었습니다."

던전 도시 셰어든에는 고위 탐험가가 많이 머무르는 만큼
알부자들이 많은데, 엄격히 말하면 그 부자들 중에서도 순위
는 갈리게 마련이었다.
더구나 순혈 귀족 중에는 그저 돈만 많을 뿐 식사 버릇이 천
박한 탐험가들과는 같은 자리에서 식사할 수 없다며 고집을
피우는 자들도 많았기에, 진정한 의미에서 귀족, 그것도 압도
한 부를 축적한 귀족들만이 이용할 수 있는 최상급의 레스토
랑도 셰어든에 몇 군데인가 있었다.
오직 귀족들, 거기에 더해 후작가에서 인가를 내준 극소수
길드의 인물들만이 이용할 수 있는 레스토랑.

"그런데 그런 곳을 하루 통째로 빌리다니……. 대체 얼마나
들었어, 에반?"

"그건 안 듣는 게 좋을걸."

에반은 짓궂게 웃으며 서버를 불러 술을 주문했다. 스프를
시작해 음식도 차례대로 나왔다. 과연 명성에 누가 되지 않는
훌륭한 맛이었다.

"건배."
"으음, 성인이 된 걸 실감하는 순간이야."

분위기는 상당히 괜찮았다. 서로가 서로에게 온전하게 집
중할 수 있는 시간이었으니까.

다른 많은 여자의 사랑을 받는 에반과 단둘만의 시간을 보
낼 수 있다는 것만으로 아리샤는 그가 자신에게 특별히 신경
을 써 준다는 느낌을 받을 수 있었다.

"그래서 대체 무슨 얘기를 하려고 이렇게까지 하는 거야?"
"하하…… 역시 들켰나."

그래, 너무 신경을 썼다는 점이 패인이었다. 에반은 자신을
빤히 바라보는 아리샤의 시선을 느끼며 속으로 말을 골랐다.

"아니, 너도 눈치채고 있을 거야. 요즘 내가 준비하고 있는
게 있다는 걸."

"응, 후작가와 형제상회, 신전까지 끼워서 일을 벌이는 거지? 그 내용도 대충 짐작하고 있긴 한데."

"역시 넌 머리가 좋구나."

에반은 쓴웃음을 지으며 말을 이었다.

"그것에 대해 사과하고 싶어서 자리를 마련한 거야. 내 약혼녀이기도 하고, 너도 어스트레이의 부단장인데 내가 멋대로 일을 진행한 것에 대해서 말이야."

"흐음, 그렇구나. 하지만 에반, 네가 일부러 이번 일에서 나를 멀리 떼어 놓은 것 같다고 느낀다면 그건 내 망상일까?"

"……아니, 망상이 아냐."

"그렇다면 그거겠네. 나는 알지 못하는 미래, 내가 너를 배반했던 것과 연관되어 있는 일이지?"

아리샤는 순식간에 결론에 이르렀다. 사실 에반의 약혼녀인 아리샤는 이번 시나리오에 있어서도 활약하고자 하면 얼마든지 활약할 수 있는 입장에 있었지만, 고의로 역할을 배정하지 않은 것이 맞았다.

그도 그럴 것이 이 시나리오는 머스트 세이브를 중심으로 진행되는 것이기 때문이다. 즉 에반은 아리샤를 세이브와 만나게 하고 싶지 않았다. 단지 그뿐인 얘기였다.

"아예 연관이 없다고는 말할 수 없지만…… 단지 내가 조금 불안해서 그렇게 했을 뿐이야. 너를 믿지 않는 게 아냐. 그냥 그렇게 하고 싶지 않았어."

"에반, 나 그날부터 쭉 생각하고 있었어. 대체 난 에반을 왜 배신한 걸까. 도저히 그럴 이유가 없지만 그래도 억지로 가능성을 하나하나 만들어 가며 생각해 보고 있었는데……."

아리샤가 말했다. 에반을 지그시 바라보는 그녀의 푸른 눈동자가 영롱하게 반짝였다.

"혹시 있잖아, 혹시…… 남자 때문이었어?"

"……."

"맞구나."

터무니없이 예리한 아리샤의 추측에 에반은 순간 숨을 멈췄다. 그 반응으로 아리샤는 자신이 정답을 맞혔다는 것을 깨달았다.

직후 그녀의 입가에 더한 미소가 떠올랐다.

"정말 그거였구나. 믿기지가 않아. 그 미래의 나는 대체 얼마나 바보였던 걸까?"

"바보는 무슨, 너는 언제나 변함없이 현명해. 단지……."

게임 속 에반의 얘기는 입 밖에 내는 것조차 꺼려졌다. 에반이 거기서 입을 다물어 버리자, 아리샤는 고개를 내밀어 에반과 얼굴을 가까이 하며 방긋 웃었다.

"아무튼, 안심했어. 그런 이유라면 난 정말이지 절대 너를 배신하지 않을 테니까. 하지만 에반은 여전히 불안하겠지?"
"그게, 아리샤 네 잘못은 절대 아냐. 아까도 누누이 말했듯이 그건 단지 어찌할 수 없는 막연한 불안감이라서……."
"그러니까."

아리샤가 손을 뻗어 에반의 한 손을 붙잡았다.
그녀의 푸른 두 눈이 요요한 빛을 발하고 있었다.

"오늘 밤은 나도 노력해 볼게. 에반이 안심할 수 있게 될 때까지."

에반은 그녀의 말에 멍하니 고개를 끄덕이는 수밖에 없었다.
정말 그녀에게는 못 당하겠다는 생각이 들었다.

Chapter 59.
머스트 세이브, 무대 위에 서다

오전, 여관에 들어서는 루이즈를 보며 세이브가 고개를 갸웃했다.

"루이즈 님, 혹시 기분이 안 좋으십니까?"
"그렇게 보였어? 딱히 기분 나쁜 일은 없었는데⋯⋯."
"우왓, 언니! 꼭 흡혈귀한테 피를 빨려 죽은 시체 같은 표정이잖아요!"

뒤늦게 방에서 나온 르나일마저 그런 말을 하니 루이즈는 그럴 리가 없다면서도 제 얼굴을 더듬어 보았다. 어느덧 세이브가 그런 루이즈를 심각한 표정으로 바라보고 있었다.

"혹시 어스트레이에 무슨 안 좋은 일이라도⋯⋯?"

"무슨 일이 있어도 지금 네 능력으론 뭘 어떻게 하는 건 무리잖아."

"그 정돈 나도 알고 있어, 하지만 그래도 알고 싶은 거야. 그건 거의 본능 같은 거라고."

그새 지들끼리 투닥거리기 시작하는 세이브와 르나일을 놔두고 루이즈는 제 뺨을 몇 번이고 두들겨 스스로를 안정시켰다.

만약 자신의 얼굴 표정이 굳어져 있었다면 그것은 아마도 오늘 아침 함께 기사단 본부 로비에 들어오는 에반과 아리샤를 본 탓이다. 둘은 마치 신혼부부가 그러하듯 찰싹 달라붙어, 서로를 마주 보며 웃고 있었다.

스승의 사생활에 일일이 참견할 계제는 되지 않지만, 그것을 보는 순간 루이즈는 자신만이 홀로 엄청나게 뒤처져 있다는 기분이 들어 견딜 수가 없었다.

'혼자서만 착각하고 있다가 찬물에 정신을 차린 기분이라고 해야 할까.'

에반과 아리샤도 자신과 비슷한 어린 시절을 보냈을 것이다. 세 사람은 모두 던전 도시를 다스리는 가문의 둘째이니까. 재력도 비슷하고, 권력도 비슷하며, 다른 환경도 비슷하다. 분명 출발점은 비슷했을 터다.

그러니 어쩌면 아리샤 대신 자신이 에반의 옆에 서 있는 미래가 있었을 수도 있다. 그와 동등한 관계를 맺을 기회가 그녀에게도 있었을지도 모른다······ 그런 것들을 생각하니 속이 뒤틀려 도저히 편한 기분으로 있을 수가 없었던 것이다.

한때는 자신의 환경 탓을 한 적도 있었지만, 가문의 힘을 빌리지 않고 스스로 압도적인 입지를 구축한 에반을 보고 있으면 그런 생각마저 기어들어 갔다.

결국 남는 것은 자기 자신에 대한 초조함이다. 그녀는 오랜만에 메르딘을 탈출했을 때의 막막한 절망감을 떠올렸다.

'강해져야지. 반드시 강해져서······.'

오늘 아침 느꼈던 굴욕감은 좀처럼 쉽게 잊을 수 없는 것이었다. 그녀는 이를 악물고 강해지겠다고 다짐했다.

그땐 자신의 입지도 조금은 달라져 있을 것이다. 에반도 자신을 달리 보게 될 것이다. 언젠가 메르딘을 증명하게 될 날이, 반드시 올 것이다.

"루이즈 님?"

"아······ 어스트레이에는 별일 없으니 걱정하지 마. 오히려 축하해야 할 일이라면 있지만."

"축하해야 할 일?"

"아니, 아무것도 아냐. 그것보다도 오늘은 길드에서 의뢰를 맡아 볼까 하는데 다들 어떻게 생각해?"

루이즈는 세이브의 질문을 회피하며 파티에 제안했다. 물론 에반이 지시한 것이었다.

지금 그가 계획하고 있는 거대한 시나리오에서 자신이 결코 무시할 수 없는 한 축을 담당하고 있다는 것이 그녀의 자존심을 그나마 지탱해 주고 있었다.

"이제 슬슬 다시 던전에 들어갈 준비를 해야 하는데, 길드의 의뢰를 받아 수행할 수 있다면 일거양득일 것 같아서 말이야."

"길드의 의뢰라면 어떤 식인가요? 던전에서 마석을 구해 오는 거라든가?"

르나일이 먼저 떡밥을 물었다. 루이즈는 고개를 끄덕이며 거기에 보충했다.

"물론 그런 일반적인 의뢰도 있지. 일정 수준 이상의 마석을 구해 오는 것, 특정한 계층에서만 자라나는 약초를 채집해 오는 것 같은. 하지만 대형 길드의 의뢰 중에는 던전의 특정한 구간에서 일정 수 이상 몬스터를 처리하는 것, 혹은 던전의 특정한 경로를 탐색하는 것, 길을 지키거나 캠프를 건설, 지키는 것 등등 여러 가지가 있어. 가끔은 던전 밖에서 수행하는 의뢰도 있고."

"던전 밖?"

세이브도 관심이 간다는 반응을 보였다. 루이즈는 최대한 자연스럽게 설명을 이었다.

"그래. 던전 바깥에서도 힘을 써야 하는 일은 얼마든지 있으니까. 요인이나 상단의 호위가 대표적이지만 도시를 다스리는 귀족과의 계약 탓에 도시와 던전 입구의 경비를 맡기도 하지. 아무래도 전력을 투입할 수는 없으니 이럴 때 용병들의 힘을 빌리는 거야."

"그렇군요. 그럼 용병 활동을 하자는 말씀입니까?"

"오직 던전에서 벌어들이는 수입에만 의존하기는 그렇잖아. 그리고 용병이라고는 해도 믿을 만한 길드와 함께 일을 하며 인맥을 다져 둔다는 건 꽤 장래성이 있는 일이라고 생각해."

"그렇구나."

세이브는 그녀의 말을 듣고는 납득한 듯 고개를 끄덕였다. 르나일이 고개를 갸웃하며 물었다.

"그러면 어떤 길드의 의뢰를 받을지는 생각해 두셨어요, 언니?"

"응, 스승님께서 소개장을 써 주신 곳이 있어."

"에반 님이 써 주셨다면 의심의 여지도 없네요. 바로 가죠!"

"준비되었습니다."

"으, 응."

에반이 소개장을 써 줬다는 얘기가 나오자 곧장 의욕이 만만한 표정으로 자리에서 일어서는 르나일.

루이즈가 보기엔 샌드위치를 먹은 그날 이래 르나일도 조금 이상해진 것 같았지만 괜히 물어봤다가 이상한 얘기를 듣게 되면 현실을 감당할 자신이 없었기에, 그녀는 애써 현실을 무시하며 그들을 이끌고 길을 나섰다.

에반에게 소개받은 길드로 바로 찾아가면 좋겠지만, 던전 내외에서 용병으로 활동하려면 가장 먼저 해 두어야 할 것이 있었다. 바로 형제 코퍼레이션이 만든 용병 길드에 용병으로서 등록하는 것이다.

"예전엔 용병들에게 의뢰를 중개해 주는 업체들이 난립하며 좋은 의뢰를 비싼 값에 팔아먹거나, 용병 혹은 의뢰인에게 사기를 치는 등 여러 가지로 문제가 많았지만, 던전 폐쇄 이후 형제 코퍼레이션에서 용병 길드를 발족해 그들을 직접 관리하게 되면서 그런 일이 사라졌어."

"아, 그런 경우는 실크라인에도 많았는데. 특히 마탑 안에 처박혀 연구만 하는 마법사들은 세상 물정에 어두운 경우가 많으니까 중간에서 속여 먹기가 참 쉬웠죠."

그 당시 셰어든에 난립했던 온갖 중개업체들은 형제 코퍼레이션이 압도적인 재력과 권력, 무력을 동원해 단숨에 거의 모든 길드와 독점 계약을 맺는 것을 보며 대기업의 골목 상권 침투라며 어지간히도 반발했지만 결국은 자본의 논리에 따라 얌전히 흡수되거나 소멸했다.

사람에 따라 의견이 갈리겠지만, 당시엔 던전이 폐쇄되어 할 일이 없던 탐험가들에게 다른 할 일을 찾아주는 것이 절실했다.

쓸데없이 중간에 폭리를 취하며 정보를 비싸게 팔아먹는 중개상들보다 용병들을 한데 모아 무력별로 관리하고, 적절한 의뢰를 찾아 염가에 제공해 주는 용병 길드의 존재는 중개상들을 제외한 모든 이에게 빛이요 소금이었던 것이다.

"평소부터 엄청 궁금하긴 했어요. 처음엔 어차피 바로 어스트레이에 입단할 거라고 생각해서 그냥 지나쳤었는데…….."

"지금은 추천받은 길드가 있지만 또 다른 의뢰를 맡아 수행하게 될 일이 있을지도 모르니까 일단 용병 등록을 해 두는 게 좋을 거야. 이번 의뢰도 정식으로 용병 길드에 등록해 신뢰 등급 상향에 써먹을 수 있을 거고."

그 말을 듣고 르나일이 고개를 갸웃했다.

그도 그럴 것이 본래 용병 길드는 의뢰인과 용병 사이에서 수수료를 받고 움직이며, 용병의 등급을 관리해 주는 것은 그 대가라고 봐도 과언이 아닐 터.

"하지만 용병 길드를 통하지 않고 받는 의뢰가 되는 거라면, 길드에서 신뢰 등급을 어떻게……."

"그 정도 인맥은 있으니까 괜찮아."

"믿어, 르나일. 그분이 뒤에 계시니까."

"아, 그랬지 참!"

"……."

일행은 금세 용병 길드에 도착했다. 거대한 나무 판에 멋들어지게 음각된 용병 길드라는 문자 양옆으로 형제 코퍼레이션의 엠블럼이 박혀 번쩍이고 있었다.

"와아, 건물 진짜 엄청 크네요. 시내 중심부에 이런 건물이라니……."

"형제 코퍼레이션의 힘을 실감하게 되는군요. 물론 그것을 다스리시는 그분의 힘도……!"

"자, 들어가자."

같은 말이지만 다르게 들리는 두 사람의 의견을 흘려들으며 루이즈가 길드의 정문을 열었다. 그 안에 있던 모든 사람들의 시선이 일행에게 꽂혔다.

원래 만화나 게임 등 모든 매체를 불문하고 이렇듯 의욕에 가득 찬 신인들이 처음 용병 길드에 들어가게 되면 꼭 베테랑인 척을 하는 용병들이 나타나 겁을 주거나 희롱을 하는 등의 이벤트를 겪게 마련이지만…….

"엇, 저 배지는 어스트레이의 마크인데……!"
"저 여잔가. 조심해, 에반 공자님이 새로 첩으로 들였다는
얘기가 있으니까."

루이즈가 어깨에 매달고 있는 어스트레이 문양이 박힌 배
지는 그녀를 셰어든에서 제일가는 권력자 중 한 명으로 만들
어 주었다.
본인의 실력 유무를 떠나 에반과 관계가 있는 인물이라면
그 사실만으로 거드름을 부릴 수 있게 된다. 그것이 지금 셰
어든의 현실이었다. 실제로 지금도 길드 안에 있던 대다수 인
간들이 루이즈를 보며 긴장해 몸을 굳히고 있지 않은가!

'아아, 짜릿해. 스승님의 권력의 힘이 느껴져……!'

실로 감미로운 순간. 오전에 잠시 느꼈던 굴욕감이 씻은 듯
이 사라졌다. 루이즈는 에반이 '그런 계획'을 세운 것도 충분
히 그 이유를 알 만하다고 생각하며 길드의 창구로 다가갔다.
두 명 정도가 사무를 보고 있었고 세 명이 사람들을 상대하
고 있었는데, 그들이 창구로 다가가자 신기하게도 대기하고
있던 사람들이 몇 명 물러나며 차례를 양보해 주었다.

"잘 부탁드립니다, 루이즈라고 합니다."

"저야말로 잘 부탁드립니다!"

용병 길드의 직원도 루이즈에게 설설 기기는 매한가지였다. 그녀는 곧장 용건을 전달했고, 어렵지 않게 세 사람의 용병증을 발급받았을 뿐만 아니라 용병 길드의 중개 없이 이루어지는 의뢰도 확인증만 제대로 받아 오면 신뢰 등급 향상에 인정받을 수 있게 되었다.

"앞으로도 용병 길드를 잘 부탁드립니다!"

"네."

루이즈는 자신에게 집중되는 시선을 느끼며 점잖게 미소 지었다. 그녀가 귀족이던 시절 자주 짓곤 했던 미소였다. 상대에게 배려받고 있음을 알고 있기에 나오는 여유 있는 미소 말이다.

"음……?"

그때였다. 발급받은 용병증을 마악 일행에게 나누어 주려고 돌아서는데, 문득 세이브가 이상한 표정을 지으며 주위를 돌아본 것이다.

"방금 분명 수상한 기척이……."

그것을 본 루이즈의 눈이 반짝였다. 그러고 보면 스승님께선 분명 시나리오가 시작되는 것은 이곳에서부터라고 하셨지.

소설에도 보면 사건이 일어나기 직전 범인의 그림자가 보인다거나, 무의미해 보이는 범행 수단 등이 잠깐 묘사되곤 하는 것처럼 앞으로 셰어든을 뒤덮을 암운(에반 디 셰어든 제작 및 제공)의 편린을 잠시나마 드러낼 것이라고 했던 것이다.

에반은 디테일에 공을 들이는 사람이었다.

"왜 그래, 세이브?"

"음……."

반면 아무것도 눈치채지 못한 르나일이 태평하게 물었다. 그러나 세이브는 바닥에 이어 천장까지 한 번 쓱 훑어보고는, 이내 원하던 것을 발견했는지 만족스레 고개를 끄덕이며 중얼거렸다.

"그분의 의지를 느낀 것 같아서. 너도 정신 차리고 있어, 르나일. 아무래도 그분께서 우리에게 새로운 움직임을 바라고 계시는 것 같아."

이건 루이즈가 예상했던 것과는 조금 다른 말이었다.

"아, 바보야. 그런 건 여기서 큰 소리로 말하지 말라니까. 다른 사람들이 오해하잖아. 들을 필요가 없는 사람들에겐 들려주지 마, 알겠어?"

"윽…… 알겠어. 충고 고맙다, 르나일."

"알았으면 됐어."

어라, 이것도 예상했던 것과는 조금 다른 대화인데.

"그러면 가시죠, 루이즈 님. 우리가 이곳에 와야 했던 의미는 충분히 파악했습니다."

"나중에 단둘이 있을 때 자세히 얘기해 줘, 세이브."

"음, 그래. 네 의견도 듣고 싶으니까."

"……."

루이즈는 진지한 표정으로 서로를 바라보며 대화를 나누고 있는 세이브와 르나일의 모습을 보며 무슨 말을 해야 할지 잠시 헤매다가, 결국 그대로 고개를 돌리고 말았다.

빨리 이 녀석들과 떨어져 에반의 곁으로 가고 싶었다.

❊ ❊ ❊

"스승님의 소개를 받고 찾아왔습니다. 루이즈라고 합니다."

"헛, 그 배지는……! 어서 오십쇼!"

세 명의 용병증을 발급받아 곧장 '피닉스' 길드로 향한 일행은 그곳에서도 용병 길드에 갔을 때와 마찬가지 취급을 받았다.

문지기는 루이즈가 어깨에 부착한 어스트레이 배지를 보는 것만으로 바닥에 머리를 박을 정도였다. 에반이 보았더라면 '헛, 여기에도 그랜절을 할 줄 아는 젊은이가 있다니……!' 하고 감탄했으리라.

"안 그래도 말씀 듣고 기다리고 있었습니다! 우선 로비로 안내해 드릴 테니 그곳에서 차라도 한잔 하시면서 기다리고 계시면……."

"감사합니다."

문지기를 따라 로비로 들어가, 소파에 앉아 잠시 휴식을 취했다. 르나일은 용병 길드부터 시작된 다른 탐험가들의 깍듯한 대접을 받다 보니 생긴 궁금증을 입 밖에 냈다.

"언니, 배지 덕에 일이 쉽게 풀리고 있는 건 알겠는데…… 그런 대단한 능력을 지닌 배지가 위조라도 되어 나돌면 큰일이 나지 않을까요?"

"글쎄, 스승님께선 이 배지를 위조하는 건 그 누구에게도 불가능한 일이니 안심하라고 하셨었는데."

설마 셰어든 내부에서 어스트레이를 상징하는 배지를 위조

한다는 위험천만한 발상은 감히 하지도 않았던 루이즈는 르나일의 질문에 허를 찔린 표정이었다. 세이브는 두 여자의 대화를 들으며 혼자 지그시 고개를 젓고 있었다.

[어스트레이 나이츠의 배지]
[옵션: 위조 불가(이 배지와 같은 고유의 디자인을 지닌 배지는 오직 원제작자에 의해서만 생산될 수 있으며, 그 외의 모든 위조 배지는 질서와 규율의 룬 라이도(raidho)의 힘에 의해 파괴된다. 이 힘은 마녀 멜로니아의 힘으로 보호된다.)]

'그분께선 마녀들이라는 미지의 존재들조차 수하로 다루고 계시는구나.'

전설 속에서는 몇 번인가 회자되곤 하지만, 마녀의 존재가 공식적으로 확인된 바는 없다. 그런데 그분께선 이미 그런 마녀들을 찾아내 거두신 것이다!

'어쩌면 본래 악행을 하던 자들일 수도 있겠지. 그들을 직접 교화해 거두셨다면…… 그래, 그러면 이치에 맞겠는데.'

그저 가벼운 마음으로 확인해 보았을 뿐인데 신앙심이 깊어졌다. 심지어 그의 추론이 아예 틀린 말은 아니라는 것도 소름이 끼치는 점이었다!

"그분의 인장이 새겨져 있는데 쉬이 위조할 수 있을 리 없지. 믿어, 르나일."

"으음, 그것도 그런가. 하긴 평범한 길드도 아니고 무려 피닉스 길드에도 프리패스가 통하는 배지인데 뭔가가 있겠지? 언니도 참, 전 우리가 의뢰를 받을 곳이 피닉스 길드라기에 정말 깜짝 놀랐었다구요!"

"아니, 그건 미안하지만…… 르나일, 정말 방금 말로 납득한 거니?"

루이즈 파티가 정답게 대화를 나누던 그때 드디어 길드의 인물이 밖으로 나왔다. 길드 마스터는 물론 아니었지만 전투조의 조장쯤 되는 거물이었다.

"흐음…… 너희가 에반 공자의 새로운 장기말인가? 얼굴들은 제법 그럴듯해 보이는데 말이야."

그런데 그 남자는 일행의 모습을 확인하자마자 대뜸 그런 무례한 말을 던졌다. 에반이 건네준 배지가 드디어 먹히지 않는 순간이 온 것이다!

……아니, 먹히긴 먹혔는데 안 좋은 의미로 먹혔다고 해야 할까. 에반의 이름이 갖는 힘은 알아도 그가 비호하는 자들까지 생각하지는 않는, 다소 1차원적인 사고에서 튀어나온 말이었다.

'어쩌면, 일부러 도발을 하려는 것일 수도 있고.'

거기까지 생각이 닿은 순간 루이즈는 치솟던 화를 순식간에 가라앉혔다. 상대의 의도가 어떻든 거기에 놀아나 줄 수는 없다고 여겼으니까. 더욱이 자신이 섣불리 도발에 응했다가 에반에게 폐를 끼치는 결과가 될 수도 있었다.

그런데 자신의 파티원들에게도 섣불리 대응하지 말라고 눈길을 주려던 그 순간이었다. 세이브가 먼저 입을 열었다.

"흠, 보는 눈이 있군요. 역시 대형 길드의 길드원들은 좀 다른가."

"우리를 알아본다는 건…… 혹시 당신도 우리와 뜻을 함께하고 있었나요?"

"……뭐?"

세이브와 르나일은 애초에 그 길드원의 말에 화를 내지 않았다! 오히려 자신들을 한눈에 알아봤다며 기꺼운 반응을 보이고 있었던 것이다!

"당신의 말이 맞습니다. 영광스럽게도 그분께서 우리를 직접 선택하셨습니다. 그분께서 직접 만들어 내신 거대한 흐름 속에서 제가 맡은 역할이 무엇인지는 아직 정확히 모르겠지만, 제가 할 수 있는 한 최선을 다해 볼 생각입니다."

"우리와 같은 입장이라니 앞으로 좀 편하게 대할 수 있겠네요. 잘 부탁드려요."

"뭐, 뭐지 이 자식들은……!?"

루이즈의 생각대로 일행을 본래 가볍게 도발해 보려던 속셈을 가지고 있던 그 길드원은 무척이나 당황해 뒤로 물러났다. 가볍게 던진 도발이 광신도의 묵직한 십자가가 되어 돌아온 순간이었다.

'에반 공자는 대체 어째서…… 아니, 어떻게 이런 미친놈들을 제 수하로 들인 거지!?'

자신을 향해 다가오고 있는 이 녀석들의 영롱하게 반짝이는 눈은 기만 하나 없는 진심만이 담겨 있었다!

순수하게 에반의 장기말로서 이용되고 있다는 것에 자부심을 느끼고 있는 자들만이 지을 수 있는 표정! 근원을 알 수 없는 공포감이 길드원의 몸을 잠식한다!

"으흠, 큼! 확실히 에반 공자의 수하들이 맞군. 비공식적이라고는 들었는데. 아무튼 좋아. 우리도 일을 믿고 맡길 수 있는 인재가 있으면 한결 수월해지는 게 사실이니까."

"예, 잘 부탁드립니다. 무슨 일이든 수행할 준비가 되어 있습니다."

그는 자신이 기겁했다는 사실을 드러내지 않으려 크흠, 헛기침을 하곤 방금의 대화가 없었던 척 말을 시작했다. 루이즈 역시 이 공간에서 혼자 탈출하고 싶다는 생각을 하면서도 그의 말에 대꾸했다.

　"좋아. 던전을 10층까지 공략했다고 들었으니 우선은 그 안에서 해결할 수 있는 의뢰들을 몇 가지 맡겨 볼까 한다."
　"10층까지…… 예, 말씀해 주시죠."

　물론 루이즈 파티는 아직 던전을 5층까지밖에 정복하지 못했다.
　그러나 그간 에반이 제시한 공략법에 따라 수련한 일행은 던전에 들어가면 최소한 20층까지는 막히지 않고 돌파할 수 있으리라는 확신을 갖고 있었다.
　그것은 오만도 착각도 아니고, 단지 자신들을 이곳에까지 이끌어 준 에반에 대한 믿음에서 우러나오는 확신이었다. 그리고 그들의 능력을 따져 보아도 실제로 그것이 맞았다.
　말해 무엇하겠냐만, 자신과 파티원들은 물론이고 다른 탐험가들의 능력을 실시간으로 확인할 수 있는 세이브가 있으니 그들 파티가 전력을 오판하는 일은 결코 있을 수가 없었다.

　"아니, 받아 적으려 할 필요 없어. 문서를 준비해 놨으니 건네주지."

"감사합니다."

길드원은 로비에 나올 때부터 미리 준비해 두고 있던 서류를 루이즈에게 건넸다. 제대로 된 면접도 거치지 않고 이미 의뢰서를 건넬 준비를 하고 있었던 시점에서 이 연극의 어설픔이 드러나고 있었다.

"그러면…… 네, 여기에 도장을 부탁드립니다."

루이즈는 그것을 확인한 후, 용병 길드에서 가져온 의뢰서에 길드원이 가져온 피닉스 길드의 인을 받았다.

이로써 그들이 용병으로서 맡은 첫 번째 의뢰가 정식으로 시작된 것이다.

"전부 다 성공해서 돌아오라는 얘기는 아니야. 다만 70% 이상은 체크가 되어 있어야 의뢰 성공으로 간주할 테니 그 부분은 명심하도록."

"가능한 한 전부 완수하겠습니다. 기한은 언제까지죠?"

"3주. 길드 마스터께 앞으로도 시킬 일이 많다고 들어서 말이야, 제법 타이트하게 일정을 잡았지만 노력해 줬으면 좋겠어."

"알겠습니다."

3주라니, 던전을 헤매는 일반 탐험가라면 몰라도 길을 거의 완벽하게 파악하고 진행하는 루이즈 파티에게는 여유가 흐르다 못해 철철 넘치는 일정이었다. 도중에 던전을 10층까지 공략하며 진행하는 것을 생각해도 마찬가지였다.

루이즈는 남는 기간 동안에는 던전을 더 깊이 탐사할까 하는 생각을 하다가도, 에반이 정해 준 일정에 따라 움직이는 쪽이 가장 강해지는 길이라는 사실을 다시 되새기며 고개를 끄덕였다.

그러니까 이것은 사실상 피닉스 길드를 통해 에반이 전달해 준 성장의 가이드라인이나 마찬가지인 셈이다.

"의뢰를 맡는다니 조금 떨리네요."

"사도, 아니 루이즈 님을 만나지 못했더라면 이것보다 훨씬 형편없는 형태로 용병 일을 시작해야 했을걸."

"흐응, 하지만 어쩐지 그랬어도 너랑 만났을 것 같은 기분이 드는데."

"우연이네. 실은 나도 그래."

루이즈가 피닉스 길드원에게서 의뢰서를 건네받는 사이 세이브와 르나일은 의외롭게도 굉장히 정답게 대화를 나누고 있었다.

놀랍게도 둘은 이전 샌드위치 건으로 극적인 의견의 일치를 본 이래, 원작에서 그러했듯 가볍게 티격태격하면서도 서서히 사이가 친해지고 있었던 것이다!

그로부터 시간이 얼마간 흐른 지금에 이르러서는 서로에게 은근히 호감을 표시하며 썸을 타는 단계까지 왔기에, 옆에서 그들의 대화를 가만히 듣고 있을 수밖에 없는 루이즈는 속으로 이만 바득바득 갈았다.

"그…… 아가씨, 혹시 외로우면 언제 같이 술이라도 마시러 가자고."
"마음만 받아 두죠."

기회를 잡아 집적거리는 길드원을 매몰차게 거절한 후 루이즈가 먼저 자리에서 일어섰다. 그러나 그때, 마치 용병 길드에서 그러했듯 세이브가 돌연 눈을 날카롭게 빛냈다.

"이건……!"
"길드 마스터는 어디 계신가, 급히 보고드릴 게 있다!"
"마스터라면 집무실에 계신데 왜 그래?"
"서쪽 성벽 외곽에…… 아니, 여기서 말할 수는 없는 일이야. 마스터를 뵈어야겠어!"

갑자기 로비로 뛰어 들어온 평단원에 의해 삽시간에 소란스러워지는 피닉스 길드. 그들을 응대하고 있던 길드원도 당황스러운 표정을 짓더니, 이내 그들에게 손짓해 밖으로 나가게 했다.

"아무래도 무슨 일이 있나 본데, 별일은 아닐 테니까 신경 쓰지 마라. 다만 외부인들이 있으면 곤란할지도 모르니 오늘은 이만 가 줬으면 좋겠군. 의뢰는 잘 부탁한다."

"예, 알겠습니다."

루이즈 역시 깊게 묻지 않았다. 왜냐면 무슨 일이 일어나고 있는지 잘 알고 있었기 때문이다.

그것도 정확히 이들 일행이 길드를 방문해 있는 지금 이 소동이 일어나게 하다니, 과연 스승님은 타이밍에 대해 잘 알고 있는 분이다!

"뭐였을까요. 피닉스 길드쯤 되는 곳에서 저렇게 호들갑을 떨며 움직일 만한 일이라면⋯⋯."

"몬스터는 아니겠지. 어쩌면 마법과 관련된 일 아닐까?"

의뢰를 받고 피닉스 길드를 나오며 르나일이 길드에서 있었던 소요에 대해 입에 담았다. 루이즈는 이미 대략적인 일의 전모를 알고 있으면서도 그렇게 시치미를 뗐다.

"흑마법이야. 잘은 모르겠지만 흑마법의 흔적이라는 게 있었어."

그 옆에서 세이브가 아무렇지도 않게 입에 담은 말에, 르나일은 물론이고 루이즈까지 쩌적 굳어 버리고 말았다.

"음? 혹시 흑마법이란 게 입에 담으면 안 되는 금기라도 됩니까?"

"세이브 얘는 뭐든지 알고 있는 것 같으면서도 이상한 부분에서 맹하네."

이미 완벽히 굳어 움직일 수 없는 루이즈 대신 르나일이 한숨을 내쉬며 설명해 주었다.

"흑마법은 윤리에 반하는 마법이야. 그것을 익히고 있는 것만으로 지탄의 대상이 되고, 그 극에 이르면 마족이 된다는 전설도 있어서 전 대륙적으로 이단 지정을 받았지. 모든 교단이 흑마법과 그것을 익힌 이들을 증오하고 있다고 보면 돼."

"대륙 역사를 훑어보면 심각한 비극이나 거대한 역사적 사건에는 대부분 흑마법이 관련되어 있기도 했지. 그래서 흑마법은 재앙의 전조라고 불리기도 해."

"재앙의 전조, 그렇군요."

"그러니까 추측이라도 함부로 입에 담으면 안 된단 말씀. 최소한 지금 레벨의 우리가 끼어들어서 무사할 수는 없어. 못 들은 걸로 할게, 못 들은 걸로."

"하지만……."

세이브는 무엇인가를 말하려다 말고 다물었다. 잠시 그대로 생각하는 듯하다가, 이내 굳게 고개를 끄덕이며 두 손을 모았다.

"그분께서 이끌어 주신다면, 나는 무엇이든 두려워하지 않고 돌격하겠어."

"응, 평소대로구나."

"자자, 그런 흉흉한 생각은 하지 말고, 바로 준비 마쳐서 던전에 들어가자."

세이브와 르나일이 마주 보며 웃는 가운데, 루이즈가 반쯤 울상을 지으며 일행을 재촉했다.

그렇게 해서 루이즈 파티는 다시 던전에 들어가게 된 것이었다.

⋯⋯노골적으로 드러난 '재앙의 전조'를 맛보면서.

✷ ✷ ✷

루이즈 파티가 던전에 들어갔다는 보고를 받은 에반은 차례대로 다음 일들을 진행시켰다.

가장 먼저 주선한 것은 미리엄과 세르피나의 만남이었는데, 물론 자신은 동석하지 않고 대신 통신기를 부착한 진을 시켜 미리엄을 호위하게 하며 그들의 대화를 들었다.

"우선 비리를 벌인 사제의 목록을 정리해 봤어요. 아, 해당 사제들과 깊은 관계를 맺고 있는 귀족들과 상인들의 목록은 이쪽입니다. 사제만 따져 세어든 교구의 30% 정도 될까요."

"어머나, 그렇게나 많아요?"

"그게 그렇답니다, 부인. 사제라는 게 사실 비리를 저지르기 굉장히 쉬운 입장이어서요. 오로지 사제의 신앙심에 기대어 일을 맡기는 상황인데 사실 대부분의 사제들은……."

말을 흐리며 애매하게 웃는 세르피나. 자신이 몸을 담고 있는 교단을 스스로 욕하는 셈이니 그럴 수밖에 없었다. 미리엄은 고개를 절레절레 흔들었다.

"아무리 그래도 30%는 좀 심하네요."

"그렇지요? 하지만 저는 그 덕에 편해지기도 했답니다. 그것들을 알고만 있으면 딱히 직접 이용하지 않더라도, 슬쩍 언급만 해 두는 정도로 그들을 제 뜻대로 부릴 수 있거든요."

과연 상사의 비리를 철저히 조사해 두었다가 하극상으로 주교의 목을 날려 버린 평사제 출신답게, 세르피나는 정보의 중요성을 누구보다도 잘 파악하고 있었다.

그렇지만 명명백백 교단의 실세가 된 지금까지 이렇게 모든 신관의 약점을 쥐고 있다고 하니, 속이 새카맣게 보일 수밖에. 미리엄이 눈을 가늘게 뜨며 지그시 세르피나를 바라보았다.

"……그대를 포함해서 대지교단의 사제들은 정상인이 없나
봐요."

"후후, 무슨 그런 섭섭한 말씀을. 저는 그저 이런 만약의 사
태를 대비하고 있었을 뿐이에요. 아무튼 이 중에서 흑마법사
와 엮인다 해도 양심 고백을 할 수 없는 '특급'들을 따로 추려
놓았으니 확인해 보세요."

이번 시나리오의 핵심 주제가 될 '흑마법'에 대해서는, 사실
세르피나와 미리엄도 에반이 직접 얘기를 해 줄 때까지는 몰
랐다.

흑마법은 전 대륙적으로 금기로 지정된 것으로, 이것이 연
관되어 있다는 얘기를 듣기만 하면 그야말로 온갖 세상의 범
죄자들이 몰려들 테니 이번 시나리오에서 써먹을 카드로는 최
고라고 볼 수 있었다.

더욱이 나중에 마족들을 끌어들이기에도 더할 나위 없이
좋은 수단. 에반은 게임에서 알아낸 모든 지식을 활용해 흑마
법을 구사하고 제어하는 아티팩트들과, 흑마법을 구사하지는
않지만 일단 알고는 있는 마녀들의 힘을 빌려 이번 일을 기획
했다. 실로 완벽한 프로듀스라고 할 수 있었다.

"감사히 받지요."

그 말인즉슨 흑마법보다 더한, 혹은 그에 준하는 범죄들을 저지르고도 살아 있다는 건데…… 미리엄은 기막혀하며 리스트를 건네받아 그 안의 내용을 훑었다. 그러곤 그대로 경직되었다.

"아니, 세르피나 주교 대리……! 이런 짓을 한 사람들을 여태까지 살려 뒀단 말인가요!?"

"오해하지 마세요, 부인. 제가 일부러 교단에 요청해 이쪽으로 불러온 이들도 다수 포함되니까요."

"셰어든을 범죄자의 소굴로 만들고 싶었어요!?"

"아뇨, 부인."

세르피나가 짓궂게 웃으며 말했다.

"에반 디 셰어든의 눈 아래에서는 설령 요마왕이라도 조용히 숨만 쉴 수밖에 없다는 것을 알고 있기 때문에 행한 일이지요. 물론 에반 공자님은 물론, 후작 각하께도 사전에 허락을 받았답니다."

"당신, 굉장히 위험한 길을 걷고 있었네요!"

미리엄은 오늘, 셰어든의 어둠에 원치 않게 한 발짝 발을 들이밀게 되었다!

"그렇게 위험하지 않아요, 부인. 교단에서는 심증만 있고 물증은 없어 제대로 처벌할 수도 없는 범죄자들을 제가 모두 맡으니 제 평가를 높여 주고, 저는 저 나름 써먹을 수 있는 인재들을 헐값에 부려 먹을 수 있으니 이득이고…… 셰어든 교구가 강해지면 결국 셰어든에도 도움이 되니 결국 모두가 이득을 보는 구조랍니다?"

"즉 지금 교단의 본부에서조차 제대로 손을 쓰지 못하는 흉악범들을 당신이 컨트롤하고 있다고!?"

"제겐 빼도 박도 못 할 물증이 있으니까요. 이젠 부인께서도 갖고 계시네요."

그러니까 그 물증을 대체 어떻게!? 그런 의문을 눈으로 격렬히 토해 내는 미리엄을 세르피나는 그저 웃으며 바라보았다.

분명 요마대전 게임 속에서는 세르피나가 선역이고 미리엄이 악역이었을 텐데 지금 이들의 대화만 들어 보면 완전히 세르피나가 흑막의 포스를 뿜어내고 있었다. 에반의 인선이 더할 나위 없이 적절했음이 다시 증명되는 순간이었다.

"앞으론 부인께서도 그들을 직접 대면하셔야 해요. 뭐, 지금 부인을 호위해 주고 있는 믿음직한 소년이 무력시위 한 번만 해 주면 간단한 일이겠지만."

"어렵지 않습니다."

세르피나의 말에 진이 딱딱하게 굳은 어조로 대꾸했다. 그제야 비로소 미리엄도 각오를 다졌다.

"범죄자들과 함께하는 일이니 마냥 웃으며 할 일은 아니라고 처음부터 알고는 있었으니……."

후우, 깊은 심호흡을 마친 후 고개를 드는 그녀는 그야말로 악녀라는 이름이 어울리는 냉정하고 도도한 표정을 짓고 있었다.

"좋아요, 에반에게 생애 처음으로 부탁받은 것이니 나도 최선을 다하지 않으면 안 되겠지."
"와, 부인. 사람이 바뀌신 것 같아요."
"바뀌다니, 사람은 바뀌지 않아요. 때에 따라 드러내고 감추는 모습이 있을 뿐이지."

미리엄은 차가운 어조로 말하며 피식 웃었다.
그녀의 젊은 날들은 어떠했던가. 가문을 위해 처음 후작에게 접근했을 때를 떠올렸다. 그러다 그만 그를 진심으로 사랑하게 되어, 그의 마음을 온전히 차지하는 데 방해가 된다고 여겼던 레디네를 없앨 계획을 세웠던 때도 떠올랐다.
이런 표정을 짓지 않게 된 것은 그때 언니에게 호되게 혼이나고 나서였던가…… 미리엄은 그때를 회상하며 재차 웃었다.

"그 언니의 아들인 에반이 내 딸을 구해 주게 되다니, 인생은 정말 재미있지."

"아, 그래서 부인께서 이번 일에……."

그녀의 혼잣말을 들은 세르피나가 눈을 동그랗게 뜨며 감탄했다. 무심코 말이 새어 버렸다며 제 입을 두드리면서도 미리엄은 그것을 부정하지는 않았다.

"굳이 숨길 일도 아니겠죠. 맞아요. 그날 이래 언제고 에반이 무엇을 부탁해 오든 그 아이의 청을 들어주겠다고 생각하고 있었으니까. 다만 생각보다 그 아이는 너무 빨리 성장했고, 너무 강해져서 제가 도와줄 일은 없지 않을까 내심 포기하고 있었는데……. 살다 보니 이런 재미난 일을 하게 되네요."

"훗, 공자님의 인선이 정확했네요. 그럼 바로 그들과 만나 보러 가시겠어요?"

"그렇게 하죠. 저는 준비가 되었어요."

미리엄은 미리 챙겨 온 호화로운 부채를 들어 입가를 가리고 일어서며, 진에게 자신을 잘 지켜 달라는 의미에서 눈짓을 한 번 했다.

방금 둘이 나눈 대화를 듣고 미리엄에 대한 호감도가 오른 진 역시 한결 진지해진 표정으로 고개를 끄덕이며 그 뒤를 따랐다.

셰어든 흑막부대 출진의 순간이었다.

✦✦✦

한편 그들의 대화를 모두 듣고 있던 에반은 오랜만에 느끼는 부끄러움에 어쩔 줄을 몰랐다.

그 사실은 미처 의식도 못하고 미리엄에게 '흑막을 해 주세요'라고 부탁했던 자신을 떠올리니 너무 부끄러운 나머지 수치사라도 할 것 같았다.

"도련님도 그렇게 쪽팔려 하실 때가 다 있네요."
"시끄러. 그나저나 나중에 이거 다 듣고 있었다고 하면 미리엄 어머니가 화낼 것 같은데……."

잠시 생각하던 에반이었으나 고민은 그리 길지 않았다. 끝까지 감추기로 결심한 것이다.

"도련님도 참 뻔뻔하십니다."
"미리엄 어머니의 보다 자연스러운 연기를 위해서 어쩔 수 없이 내린 결정이야. 날 그런 눈으로 보지 마."

흑막을 맡은 배우들은 서서히 판을 깔기 시작했고, 슬쩍 흘린 흑마법의 흔적을 제때 무는 데 성공한 피닉스 길드도 움직임을 시작했다.

주연배우를 맡아 열연하게 될 루이즈와 아이들은 피닉스 길드와 작은 인연을 만든 채, 지금 당장은 던전에서 자잘한 의뢰를 수행하며 레벨 업.

그들이 던전에서 나올 즈음엔 다시 사태는 한 단계 발전해 있을 것이고, 일행은 서서히 거대한 흐름에 휘말려 들어가며 실전 속에서 빠르게 성장할 것이다……!

"완벽해……! 누가 나한테 각본상이라도 주지 않을까 싶을 만큼 완벽해……!"

"뻔뻔해진 도련님의 안면 강도가 드래곤 스케일보다 단단하다는 건 얼추 알겠습니다. 악!"

에반은 자신을 한심하다는 표정으로 바라보는 샤인의 눈을 찔러 주고는 자리에서 일어났다. 드래곤 스케일 얘기가 나와서 말이지만 아직 드래곤 부산물을 활용해 장비를 만드는 일이 전부 끝나지 않았다.

그거야 오르타와 엘라에게 맡겨 두기로 했지만 보다 중요한 것은 드래곤의 피를 연구하는 일! 이것만은 온전히 에반과 버나드의 힘으로 이루는 수밖에 없었다.

"버나드 할아버지한테 갈 거야."

"음, 전 단원들 교육시키고 있겠습니다. 에이르와 엘리자베스 아가씨의 교육도 어제 그대로 괜찮습니까?"

"슬라임 조금 소환해 뒀으니까 실전시켜 주고. 위협 단계를 높여 놨으니까 방심하면 안 된다고도 전해 줘."

"위협 단계를 높이다니, 도련님 대체……."

므이라슬의 목걸이의 진화는 아직까지 계속된다! 하도 목걸이 성능이 진화되다 보니 이젠 목걸이에서 소환되는 슬라임의 무력 수준은 물론이고 적대 수준까지 설정할 수 있게 된 것이다.

지금에 이르러선 목걸이를 구성하고 있는 무수한 보석 대다수에 빛이 들어와 있었고, 유난히 커다란 보석 세 개만이 아직까지 빛이 들어오지 않은 채 남아 있었다.

"이것들도 빛나게 되면 목걸이의 성장이 끝나는 거겠지."

"글쎄요, 그걸 성장이라고 불러야 할지 슬라임의 마왕이 되어 가고 있다고 해야 할지는 모르겠지만 말입니…… 커흑!"

"꼭 매를 벌지. 루아!"

에반은 샤인 대신 벨루아를 불러 그녀를 대동하고 형제약국을 찾았다.

그런데 오늘도 일을 농땡이 피우며 약제실 안에서 드래곤 블러드가 담긴 병이나 들여다보고 있던 버나드가 에반을 보자마자 멈칫하더니 그에게 악수를 청했다.

"꼬맹이, 남자가 되었구나. 축하한다."

"윽……!? 어, 어떻게 아셨어요? 전 그런 연금술은 배운 적이 없는데……!?"

"널 보고 안 게 아니라 네 뒤를 보고 알았다."

에반이 슥, 고개를 돌렸다. 벨루아가 그 타이밍에 맞추어 슥, 고개를 돌려 에반의 시선을 회피했다. 그녀의 볼이 붉게 물들어 있는 것만 간신히 확인할 수 있었다.

대체 벨루아가 어쨌길래 버나드 할아버지가 알아봤단 말인가!? 혼란스러워하는 에반에게 버나드가 히죽 웃으며 말했다.

"정말 끔찍이도 사랑받고 있구나, 에반. 그 아이한테 잘해 주어야 할 거다. 그런 여자를 만나기는 쉽지 않은 법이니."

"그건 저도 잘 알고 있거든요……."

"그래서 다른 여자애들이랑은 어떻게 된 거냐? 어디 그거나 한번 보고해 봐라."

"아니, 저 여기 드래곤 피 연구하러 온 거거든요?"

에반은 계속 짓궂게 물어보는 변태 영감에게 결국 하나둘 정보를 털리고 말았다. 버나드는 에반의 화려한 연애사를 들으며 연신 감탄사를 늘어놓았다.

"허어, 그 콧대 높은 귀족 아가씨를 말이지."

"할아버지 지금 진짜 변태 같아요."

"허어어, 역시 사람은 잘나고 봐야 하는구나. 그 도도한 아가씨가 그렇게 귀여운 말을 하게 되다니. 대단하다, 이놈아. 대단해."

"……그래요, 할아버지는 할 수 없는 일이죠."

"커헉!"

공세로 전환한 에반의 크리티컬 히트! 효과는 굉장했다!

버나드는 중태에 빠져 혼란스러워하고 있다!

"주도권을 누가 잡는지는 정말 중요한 문제 같아요, 그죠."

"그만…… 그만! 내가 잘못했다! 이제 드래곤의 피 연구를 하자꾸나……!"

결국 버나드는 도주를 선택했다. 몬스터볼이라도 던질까 생각했던 에반은 약제실 바깥에서 미소 짓고 있는 일로인을 보며 이번 한 번만 봐주기로 했다.

그로부터 일주일이 흘러, 드디어 오르타와 엘라가 완성된 무구들을 품에 한 아름씩 안고 에반을 찾아왔다.

주니어조의 무구도 제작하고 있지만 우선은 시니어조의 무구에 먼저 신경을 써서 완성시킨 것이다. 시니어조는 이제 곧 던전에 들어갈 예정이었으니까.

'지금 셰어든에서 벌이고 있는 시나리오는 어디까지나 인간들 전용 시나리오고, 우리가 맞서야 할 진짜 적은 혼원계의 균열이니까 말이지…….'

누누이 말하지만 요마왕조차 혼원계의 괴물들 중에서는 중급 단계 수준이다.

단지 놈은 귀찮고 더러운 술수를 써 오며 부리고 있는 수하가 인간 세상에 다양하게 퍼져 있는 만큼, 놈을 상대하기 위해선 특수한 무대를 설치할 필요가 있는 것.

놈을 끌어내 처치하기 위한 무대가 바로 지금 셰어든에서 진행되고 있는 '뉴 시나리오 작전'이고, 그들로 하여금 요마왕과 마족들을 붙잡아 두면서 에반은 시니어조와 함께, 가능하면 주니어조까지 포함하여 균열을 찾아내고 처치하는 것이다.

……그리고 종국적으로는, 아마도 마신의 분신 정도는 상대해야 할지도 모르지. 아무리 그래도 고대의 대마도사가 맞서 싸워 봉인한 마신이 설마 이 세상에 본신을 강림시키지는 않으리라 믿었다.

"하, 진짜 어째서 시나리오가 이렇게까지 개판이 된 건지……."

"도련님, 제 단검 좀 보십쇼, 정말 그럴듯하게…… 도련님?"

"응? 아, 미안."

검신을 드래곤의 뼈로 바꿔 보다 완벽해진 샤인의 쌍단검이 에반의 눈에 들어왔다.

완벽하게 탈바꿈한 단검을 희희낙락 들떠 만지고 있는 샤인의 모습을 보고 있자니 정말 이 녀석이 사일런트 나이트가 맞기는 할까 의심이 들었다.

"정말 감사합니다, 도련님. 저는 그 자리에 있지도 않았는데."

"그걸로 열심히 나 지키라고 만들어 주는 거니까 괜히 착각하지 마."

"물론입니다! 그건 그렇고 오늘부터 이 쌍단검은 트윈 블러드혼이라고 하죠!"

"뿔은 들어가지도 않았는데 말이지……."

샤인뿐만이 아니다. 라이한과 아리샤도 저마다 자신에게 맞는 무기와 방어구를 받아 착용하고 있었다.

"정말 제가 이렇게 크고 아름다운 방패를 받아도 될지 고민입니다, 공자님."

"형은 갑옷을 안 바꿨으니까 그만큼 방패에 재료를 몰아줬을 뿐이에요. 신경 쓰지 말아요."

갑옷은 인비저블 실드—심지어 지금도 계속 성장하고 있었
다!—에서 바꿀 생각이 없는 라이한이니 방패만 크고 아름다
운 것으로 새로 맞췄는데, 라이한의 방패술을 완벽하게 분석
해 라이한 전용으로 만든 방패였다.

그로 인해 가뜩이나 괴물 같던 라이한의 수비 태세가 더
욱 완벽해져, 이젠 요마왕이 직접 덤빈다 해도 그를 뚫을 수
있기나 할지 의심이 갔다.

아니지, 이미 드래곤의 돌격을 막아 냈던 전력이 있으니 그
드래곤의 방패로 무장한 지금은 요마왕은 그의 눈에도 안 들
어올지도 모른다.

"아리샤는 어때, 갑옷 끼지 않아?"
"응, 편안하고 좋아. 다만 디자인은 마음에 드는데 색
이…… 푸르게 도색하고 싶네."

한편 아리샤는 던전에 들어갈 때면 움직임을 최대한 방해
하지 않는 경갑을 착용하는 만큼 이번에도 드래곤의 비늘과
뼈, 가죽을 적절히 섞어 만든 믹스 아머를 착용했는데, 완벽
한 금속으로서 기능하는 비늘과 뼈 덕분에 무척 세련된 붉은
갑옷이 완성되었다.

그것을 입은 아리샤는 붉은 용전사라고 불러 마땅한 모습

이 되어 있었는데, 그녀는 갑옷의 착용감과 외관 모두 만족스러워했지만 어떻게든 그 색만은 푸르게 물들이고 싶은 모양이었다.

"검도 마찬가지…… 염료 없을까, 에반?"

"드래곤본쯤 되면 도색도 아무 걸로나 하면 안 되거든. 내가 드래곤의 피를 연구해서 방법을 알아볼 테니까 일단은 기다리고 있어."

"으으, 에반에게 완벽하지 않은 나를 보여 주고 싶지 않아……!"

하지만 어쩔 수 없다. 아마 갑옷과 무기를 푸르게 도색하는 것은 에반의 일이 될 테니까. 그는 아리샤에게 이번 던전행까지만 참아 보라고 달래 주며 고개를 돌렸다.

드래곤 가죽으로 만든 튜닉을 속에 입고, 손에는 드래곤의 송곳니 하나를 통째로 갈아 만든 끝이 뾰족한 지팡이를 들고 있는 아나스타샤의 모습이 보였다.

"어때요, 아나스타샤. 능력은 잘 다룰 수 있겠어요?"

"저는 현장에 있던 사람이 아닌지라 아직 이 무구들과 친해지기까지는 조금 시간이 걸릴 것 같지만요…… 그래도 무척 훌륭한 무구라는 건 알겠어요. 특히 이 지팡이…… 땅요정님께서 만드신 건가요? 드루이드와 마녀의 능력을 최대로 이끌어 낼 수 있는 훌륭한 아티팩트예요."

본래 드래곤은 자연과 조화를 이룬다기보다는 자연의 힘조차 억제해 지배하는 폭군.

그러나 극과 극은 통하는 법이라고 했던가, 그 힘을 드루이드가 이용한다면 대자연의 힘을 보다 파괴적으로 변화시키는 비술을 사용할 수 있게 된다.

물론 평범한 수단으로는 안 된다. 지극히 정교한 마법 술식과, 그 술식을 현실화시키는 마녀의 마력이 필요했다.

"무기뿐만 아니라 이 튜닉도 정말 편안하고 좋네요. 이걸 정말 제가 받아도 될지."

"아까 제가 샤인한테 하는 말 못 들었어요? 그거 다 나중에 부려 먹으려고 마련해 주는 겁니다. 무구값 할 때까지는 셰어든에서 못 나갈 줄 아세요."

"저야 어차피 샤인 곁에 있어야 하는걸요. 안심하세요, 단장님."

아나스타샤는 까르륵 웃음을 흘리며 여전히 단검을 들고 촐싹대던 샤인의 등에 머리를 기댔다.

샤인이 화들짝 놀라 쌍단검을 수습하며 하하 웃었다. 음, 역시 저 녀석은 절대로 사일런트 나이트가 아니다.

"세레이나는 좀 어때?"

거추장스러운 방어구를 싫어하는 세레이나 역시 방어구는 거의 반쯤 속옷처럼 타이트하고 얇게 만든 튜닉을 착용하고 있었는데, 무기로는 드래곤 가죽과 비늘을 섞어 만든 테이머 전용 채찍을 제작했다. 이쪽은 무려 마녀들의 힘까지 빌려 만들어 낸 특별한 무기였다.

"다들 더 빨리 움직여 봐, 그렇지, 우리 나르 잘한다!"
[큐웃! 쿳쿳!]
[뀨우우우!]
[뀨웃!]

세레이나는 에반의 말을 듣고 있지 않았다.
그녀가 열심히 채찍을 휘두르면 신생아인 레드 드래곤 나르를 시작으로 네 마리의 슬라임들이 꾸물꾸물 열심히 그것을 따라 움직였는데, 그 모습은 조련이라기보단 장난감을 들고 고양이랑 놀아 주는 집사의 모습으로밖엔 보이지 않았다.

"아니, 그런 것보다…… 생각해 보면 저 채찍 드래곤 가죽으로 만든 건데 그걸로 만든 채찍에 지시를 받는다는 건 좀 어떨까 싶은데……."
[큐우웃!]

기분 탓인지 울음소리까지 슬라임과 비슷하게 들리는 새끼 드래곤은 지금 자신을 유혹하는 붉은 채찍이 무엇으로 만들어졌는지 알지 못하는 듯 마냥 기분 좋은 울음소리를 내며 세레이나와 놀고 있었다.

그 장면을 더 보고 있자니 어쩐지 자신이 천하의 죄인이 된 것만 같은 기분이 들었기에 에반은 그만 고개를 돌려 버리고 말았다. 그저 먼 훗날 진실을 알게 된 나르가 에반을 원망하지 않기만을 바랄 뿐이다.

'하지만 드래곤이라.'

어디서든 최종 보스로 써먹기 참 좋은 소재란 말이지.

본래 자연을 사랑하는 순수한 아이였으나, 흑마법사와 마족의 무리에게 붙잡혀 세뇌당한 끝에 인류를 적대하게 된 드래곤.

아무것도 모르는 드래곤은 무수한 죄악을 범하며 점차 타락하고, 인류의 희망들을 짓밟아 으깨 버리길 주저하지 않지만......

결전의 날. 무구한 눈동자로 인류를 멸하려 하는 드래곤 앞에 한 명의 테이머 소녀가 나타나고, 진정한 사랑을 깨닫게 된 드래곤은 비로소 자신 안의 '선'을 자각하며 각성하게 된다.

그 후 테이머와 함께 손을 맞잡고 방심한 흑마법사와 마족들을 모조리 브레스로 쓸어버리는 드래곤! 환호하며 드래곤을 맞이하는 인류! 그렇게 드래곤은 테이머 소녀와 함께 던전 도시의 영원한 수호자로 기려지게 되는데…….

"이건…… 팔린다!"
"아, 또 도련님이 뭔가 쓸데없는 생각을 떠올렸을 때의 표정을 하고 계시는데."
"닥쳐, 샤인."

예리하게 에반의 표정을 읽어 낸 샤인이 한마디 하자 벨루아가 샤인을 입 다물게 했다.
그런 그녀는 놀랍게도 메이드복을 입고 있지 않았다! 마녀의 성인식 때 입었던 순백의 드레스가 아닌, 마치 요마대전3에 나오는 혈안마녀와 비슷한 붉은색의 가죽 드레스를 입고 있었던 것!
그것이 어스트레이 나이츠의 망토와 어울려 터무니없이 우아하고 신비로운 분위기를 자아내고 있었다.

"옷은 좀 어때, 루아?"
"완벽합니다, 도련님. 이렇게까지 신경을 써 주시다니……."

당연하지만, 지금 그녀가 입고 있는 드레스는 평범한 가죽이 아닌 드래곤 가죽이었다. 망토와 같은 재질로 만들어졌으니 조화로울 수밖에 없다.

하지만 화룡점정은 바로 그녀의 머리를 장식한 붉은 가죽 마녀 모자였다. 챙이 넓은 고깔모자는 윗부분이 살짝 꺾여 있었는데, 군데군데 박힌 보석이 결코 천박하지 않고 고급스러워 보였다.

'게임 속 혈안마녀가 입고 다니던 전투복보다도 훨씬 고급스러워 보이는데.'

그것도 당연하다. 전부 레드 드래곤의 부산물로 만들어 낸 것이니까. 그것도 드워프 엘라와 디자이너 오트파의 합작으로 디자인부터 성능에 이르기까지 무엇 하나 빠지는 점이 없는 마스터피스!

아리샤는 붉은색이 자신에게 어울리지 않는다며 투덜거리고 있지만, 벨루아는 반대로 원래부터 눈동자도 붉은색이고 이미지 컬러 또한 빨강이라 그런지 레드 드래곤의 소재로 만든 모든 것이 무척 잘 어울렸다.

"루아에게는 드래곤 본을 투자하지 않았으니까, 그 대신 남은 가죽을 다 쓴 거야."

"나도 드래곤 본을 아낌없이 투자한 방어구와 무기를 받았으니까 불만은 전혀 없어."

"으음, 저는 도련님을 언제나 편히 모실 수 있도록 하녀복을 입고 싶었지만."

벨루아는 자신이 받은 마법 장비를 마음에 들어 하면서도, 여태껏 지켜 왔던 자신의 아이덴티티인 하녀복이 사라졌다는 사실에 못내 아쉬워했다.

"봐줘. 앞으로는 정말 그런 장비로는 위험할 테니까."
"아쉬울 따름입니다. 그렇다면 하다못해 평상시에는……."

벨루아가 그 말과 함께 손가락을 튕겼다. 그 순간 그녀가 입고 있던 드레스가 평상시 입던 하녀복으로 바뀌었다.
그녀가 차려입은 드레스에 가슴 설레어하고 있던 에반의 표정이 쩌저적 굳어 버렸다. 아니, 물론 하녀복 차림의 벨루아도 무척 아름답긴 하지만, 그래도!

"……루아? 드레스와 모자는 어디로 간 거야."
"겉모습만 바뀌었을 뿐 재질은 그대로예요. 위장에 쓰이는 마나만큼은 소모되고 있지만요."
"그렇게까지 하녀의 길을 추구해서 대체 뭐가 하고 싶은 거야?"
"저는 마녀이기 이전에 도련님의 시녀이니까요."

에반의 질문에 기다리고 있었다는 듯이 대꾸하는 벨루아. 에반은 그 이상 그녀에게 따지는 것은 포기하기로 했다. 대신, 아까 벨루아가 그러했듯 손가락을 튕기며 말했다.

"엘라, 마지막 조정까지 끝났지?"

"그게 완성되지 않았으면 오지도 않았을 거야."

드워프 엘라가 검은 천에 감싸인 둥그스름한 무언가를 가져왔다. 그 안에서 심상치 않은 기운을 감지한 일행은 모두 입을 다물고 그것을 가만히 주시했고, 벨루아는 특히 눈을 가늘게 뜨며 의심스러운 눈길을 보내고 있었다.

"도련님, 설마 그것은……."

"지금 루아가 입고 있는 건 방어구잖아. 루아가 쓸 무기는 따로 준비한 게 있어."

"하지만 전 그때 도련님의 귀걸이를……."

"그건 장신구고. 자, 원래 성인식 때 주려고 했던 건데 제작이 조금 늦어져 버렸네. 받아 줄 거지?"

"으으, 나 살짝 질투 나려고 해."

"난 나르 받았으니까 괜찮은데."

[큐우우!]

천에 감싸인 구체가 앞에 내밀어지자 시니어조 전원의 시선이 그곳에 집중되었다.

벨루아는 집중되는 시선에 부담스러워하는 기색은…… 물론 보이지 않았지만, 이미 천에 감싸여 있는 것의 정체를 짐작하는지 뭐라 형언할 수 없는 표정이 되어 있었다.

"도련님, 이거…… '그것'뿐만이 아니죠?"

"네가 마녀의 성인식을 받아도 안심하려면 이것밖에 없었어."

"역시……."

벨루아는 나직이 탄식하면서도, 에반의 뜻을 알겠다는 듯 고개를 끄덕이며 천을 벗겼다.

용의 오브가 눈을 떴다.

Chapter 60.

에반 디 셰어든, 특이점과 조우하다

　　던전 입장을 앞둔 밤, 에반은 하이엘프 미로엘을 찾았다. 앞으로 세상에 나타나게 될 혼원계의 균열에 대해 그녀의 의견을 묻기 위해서였다.

　　"미로엘, 잠시 괜찮을까요?"
　　"단장님? 어찌 저를 찾아 주셨나요."
　　"미안해요, 미로엘과 대화할 기회를 만들고 싶었는데……."

　　어떻게 들으면 에반을 탓하는 것처럼도 들리는 그녀의 말에 에반이 변명조로 대꾸하자 미로엘은 피식 웃으며 고개를 젓곤 그를 자신의 방 안에 들었다.

　　"단장님께서 항상 바쁘시다는 건 잘 알고 있습니다. 탓하려던 게 아니에요."

"그렇게 생각해 준다면 고마울 따름인데요."

에반의 시선이 한쪽 벽걸이에 걸려 있는 망토에 향했다. 그
렇다. 그것은 레드 드래곤의 가죽으로 만들어진 어스트레이
나이츠 전용 망토였다.

이번에 드래곤의 부산물을 활용한 기사단의 전력 보충을
하면서 미로엘은 달랑 망토 하나만 받고 끝낸 것이다.

"정말 저것만으로 괜찮겠어요?"

"저것만으로 충분해요. 싸움을 위한 도구라면 제겐 이미 충
분히 있으니까요."

그 말도 사실일 것이다. 당장 에반은 그녀가 손에 차고 있
는 팔찌를 요마대전 제로에서 본 기억이 있었다. 최종 장비 중
하나였던 것으로 기억했다.

가뜩이나 등장하는 적의 수준이 타 시리즈에 비해 높은 제
로이다 보니 자연히 아티팩트의 수준도 높았는데, 그 시절 아
티팩트들 앞에는 그 강한 힘을 상징하듯 신대, 혹은 고대라는
말이 붙어 있게 마련이었다.

'그리고 저건 아마…… 정령력 회복과 증가는 물론이고 궁
술 위력 증폭 옵션이 달려 있는 미로엘 전용 최종 장비였지.

얻기 쉽지 않은데 저걸 갖고 있는 걸 보면 이쪽 세계의 고대
의 대마도사는 확실하게 활약을 해 줬던 모양이야.'

하긴 그 시절 대마도사가 활약을 해 주지 않았거들랑 지금
이 세계가 제대로 남아 있을 리가 없다.

아무튼 미로엘은 고대의 대마도사와 함께하는 과정에서 얻
은 장비들 중 자신에게 맞는 것들만 골라 착용하고 있을 테고,
그런 만큼 제아무리 드래곤의 부산물이 좋은 재료라고 해도
그녀가 갖고 있는 아티팩트를 초월하는 물건을 만들어 내기
는 힘들었을 것이다.

"그래도 미안한 건 미안한 거니까요."

"이 망토만으로 저는 충분히 만족하고 있어요. 저를 진정한
기사단의 일원으로 받아들여 주신 것 같아서 기쁩니다."

미로엘의 말이 어딘가 바람둥이 남자 친구에게 받은 싸구
려 반지를 언제까지고 소중히 여기는 헌신적인 여자 친구의
말처럼 느껴져 괜히 양심의 가책을 느끼는 에반.

"아, 하지만……."

미로엘은 쓸데없는 죄책감에 몸부림을 치는 에반의 모습에
쿡 웃곤 말했다.

"언젠가 마련해 주셨으면 하는 게 있긴 있습니다."

"제가 드릴 수 있는 거라면……."

"그럼 그때 가서 말씀드려도 될까요. 지금의 당신께 부탁하기엔 너무 여유가 없어 보이시니. 당분간은 차분히 기다리겠습니다."

"으음."

이상하다, 또 분위기가 살짝 이상해지는 것 같은데. 에반은 주위에 살포시 내려앉는 핑크빛 분위기를 부정하려 고개를 털어 내며 화제를 서둘러 전환했다.

"실은 혹시 이전 우리가 조우했던 드래곤과 같은 고대 생물의 자취에 대해 알고 계신 게 있나 싶어 찾아왔어요."

"베히모스나 싸이클롭스와 같은 존재들에 대해 말씀하시는 것이군요."

"예. 드래곤이 나타난 이상 그놈들이 나타나는 것도 시간문제라고 생각합니다. 특히 드래곤은 알을 품고 있을 정도였죠. 원래 드래곤이 알을 만들어 내는 데 걸리는 시간을 생각해 보면, 이미 제가 모르는 어딘가에서 그놈들이 날뛰고 있다고 생각해도 이상할 것이……."

"하지만 그 문제에 대해선 그리 걱정하지 않으셔도 될 것 같습니다."

이상하게도 단언하는 미로엘의 모습에 에반이 눈을 가늘게 뜨자, 그녀는 쿡 웃곤 여태까지 에반이 잊고 있던 문제에 대해서 거론했다.

"단장님, 당신은 자신이 젊어지고 있는 저주가 얼마나 대단한 것인지 알고 있나요?"

미로엘이 에반의 저주에 대해 알고 있으리라는 추측은 이전부터 그도 하고 있었다.

사실 그녀가 하이엘프로서 여태까지 보여 준 능력들을 생각해 보면, 심지어 에반의 다른 측근들조차 알아차린 저주의 존재를 눈치채지 못할 리가 없었다.

다만 어째서 지금 이 타이밍에 세계의 저주 이야기가 나오는 것일까, 에반은 고개를 갸웃하며 답했다.

"예, 그야 물론이죠. 순수하게 저를 짓눌러 죽이려 세상 그 자체가 덤벼들었으니까…… 다만 제 저주 내성으로 어떻게든 약화시킬 수 있었습니다. 지금은 사소한 악의가 가끔 저를 괴롭히는 정도죠."

그리고 그것은 에반의 측근들이 절대로 그를 혼자 놔두지 않으려는 이유이기도 하다.

물론 저주가 약화된 지금은 그가 앉는 의자가 갑자기 무너

지거나, 펜촉이 튀어 날카로운 끝이 그의 눈을 찌르려 하거나
하는 사소한 부작용밖엔 남지 않았지만, 다른 사람들은 에반
이 그런 사소한 불쾌감에 노출되는 것조차 끔찍이도 싫어했
으니까.

따라서 벨루아 아니면 샤인, 혹은 디오나, 그녀조차도 여의
치 않으면 아리샤가 항상 에반의 곁에서 그를 지킨다. 그리고
온갖 사소한 불행이 그에게 닥쳐올 때마다 재빠르게 그것을
막아 내는 것이다.

"네, 그분들의 사랑스러운 투쟁은 저도 지켜보고 있었습니
다. 가끔은 저도 한 팔 거들고 싶다고 생각했죠. ……하지만
단장님, 정말 세계의 저주라는 것이 그 정도로 끝나리라 생각
하셨나요?"

"어……."

솔직히 고백하건대, 그것은 맹점이었다. 전혀 생각해 보지
도 않으려 했던 것이다.

미로엘의 말을 들으며 에반은 마치 스턴 상태이상이라도
걸린 것처럼 그 자리에 굳었다.

그가 완벽히 억눌렀다 생각한 거대한 세계의 악의가, 다시
발밑에서부터 스멀스멀 기어올라 그를 집어삼키는 것만 같은
환각. 눈을 깜박이니 그의 눈앞에는 조용히 그를 지켜보고 있
는 하이엘프의 모습만이 있었다.

"설마…… 지금 이 세상에 균열이 일고 있는 것이 저와 상관이 있다는 말씀인가요?"

"말씀드리지 않으려 했지만, 네. 아마 그럴 겁니다."

미로엘은 그렇다고 단호히 고개를 끄덕이며 에반을 바라보았다.

"단장님께서 직접 그 사실과 마주할 준비가 되시면 그 문제에 대해 같이 의논하려 했습니다. 아무래도 지금이 그때인 것 같네요."

"아니 하지만 어떻게…… 으으, 아니 그렇지만."

그것을 부정하고 싶어도 너무 얘기가 딱딱 맞아떨어져서 차마 그럴 수가 없었다.

물론 메르딘의 봉쇄가 있었던 3년 전 그때의 마족 대공습과도 시기가 겹치는 만큼 그들과 연관이 있다고도 할 수 있겠지만…….

"그쪽은 아니겠죠. 요마왕에겐 혼원계를 조율할 힘이 없으니까."

"네, 역시 알고 계셨군요. 그들은 별개로 움직이고 있을 터입니다. 물론 세계의 저주를 일으키는 계기는 되었겠지만요."

"저도 기억해요. 확실히 그건 우연한 계기에 불과했죠……."

마족 대공습이 있던 그날, 제프렐은 오직 셰어든을 무너트리기 위해 이곳에 당도했다.

에반은 물론이고 요마대전4에서 그들이 납치하러 왕궁까지 습격할 정도였던 인재, 세레이나의 존재조차 예상하지 못하고 있던 것으로 보였으니까.

에반에게 세계의 저주가 걸리게 된 계기는 분명 제프렐과의 접촉이지만, 놈이 결코 그것을 목적으로 셰어든을 습격하지 않았다는 것도 분명한 사실이었다. 뭣보다 놈은 죽기 직전에서야 뭔가 깨달은 것처럼 에반에게 저주를 걸려고 했으니까!

즉 마족들의 움직임과 혼원계의 균열은 연관이 없다는 얘기가 된다.

"그럼 지금부터 얘기를 해 볼까요. 에반 단장님께 주어진 세계의 저주라는 것은 인과를 비트는 저주입니다. 물론 단장님은 개인에게 닥쳐올 저주의 업에 저항하는 데 성공하셨죠. 그러나 그것은 완벽하지 않았고, 저주는 지금도 이 세상의 인과를 비틀고 있습니다."

"균열이라는 형태로 말인가요."

"예."

에반은 기가 막힌 나머지 쓴웃음을 짓고 말았다. 이쯤 되면 역시 게임 속 에반에게 뭔가 거대한 비밀이 있었다고밖엔 말할 수 없다.

따지자면 에반이 전생을 깨닫고 저주에 저항하는 데 성공하는 바람에, 원래는 요마왕만 날뛰었을 지금 이 세상에 혼원계의 균열이 생겨나고 있다는 얘기가 아닌가!

물론 그렇다고 순순히 저주를 받아들여 죽어 줄 마음은 없을뿐더러 이제 와서 그가 죽는다고 한 번 열린 균열이 닫힐 리도 없지만!

"하지만 대체 왜 저한테 세상의 명운을 좌우할 만큼 거대한 저주가……."

"분명 머지않은 언젠가 스스로 알게 되실 거예요. 저는 그때까지 에반 단장님의 곁에서, 당신을 보좌하겠습니다."

"하."

그는 이마를 짚으며 고뇌했다.

이전 혼원계의 균열의 존재를 알아낸 직후 그가 미로엘에게 말했던가? 그녀는 이런 일들이 생겨날 것을 알고, 지상의 강자인 에반의 곁으로 찾아와 그와 함께 일을 해결하려 한 것이냐고…….

그리고 거기에 그녀는 고개를 끄덕였었지. 하지만 아니었던 것이다. 미로엘은 처음부터 혼원계의 균열이 열리게 한 원흉을 찾고 있었던 것이 분명했다!

'내가 얼마나 어리석어 보였을까.'

비록 모르고 행한 일이라고는 하나 세상에 큰 혼란을 초래해 놓고는, 내가 제일 강하니까 날 도우러 왔군요! 하고 말하는 바보 녀석이 바로 나였다니! 당장이라도 수치사해도 이상하지 않을 흑역사였다.

"으음, 단장님. 또 오해를 하고 있으신 것 같은데요."
"아뇨, 이제 오해는 없습니다."

에반은 단호한 목소리로 그녀에게 대꾸했다.
이제는 정말 명확하게 사실을 인지했다. 앞으로 다신 '아무리 그래도 왜 나를 찾아올 이유가 있었던 거지? ……혹시 이하이엘프가 오랜 사랑을 버리고 나한테?' 같은 망상도 하지 않을 것이다!

"……어라?"

맹렬히 스스로를 지탄하던 에반이 문득 그 자리에 멈추었다. 중요한 이야기를 하고 있던 도중이었다는 사실을 깨달은 것이다.

"그런데 미로엘, 그리 걱정하지 않아도 될 문제라고 하지 않았던가요?"

"네, 분명히 제가 그렇게 말씀드렸지요."

"그건 많이 이상한데요. 저 때문에 균열이 생겨나고 있다는 얘기를 들은 참인데 사태가 더 심각해지면 심각해졌지……."

"그 이유로는 두 가지를 들 수 있습니다."

미로엘이 손가락 두 개를 들어 올리더니 그중 하나를 접었다.

기분 탓일까, 그녀가 에반을 바라보는 눈빛이 한결 부드러워진 것만 같았다. 마치 사랑하는 연인을 바라보는…… 아니, 이제 착각은 그만두자니까!

"첫 번째는, 에반 단장님이 저주에 훌륭히 저항하고 있기 때문입니다."

"어, 그러니까…… 제가 저주를 붙들고 있는 한, 갑자기 지상에 혼원계가 재림해 발록이니 베히모스니 하는 것들이 나라를 부수고 돌아다니는 일은 일어나지 않을 거라는 말인가요?"

"적어도 당분간은요."

가능하면 그 뒷말은 듣지 않았으면 했는데. 살짝 썩은 표정이 되는 에반을 눈앞에 두고 작게 미소 지으며 그녀가 나머지 손가락 하나를 접었다.

"두 번째는, 결국 이 저주는 에반 단장님을 타겟으로 하고 있기 때문입니다."

"……그 말뜻은."

"생각해 보세요. 인세에 드래곤이 나타나게 되면, 보통은 이보다 훨씬 큰 소란이 일어나게 마련입니다. 하지만 그렇지 않았죠. 드래곤은 그저 던전 안에 숨어 얌전히 알을 기르다가 우리와 만나 토벌되었습니다. 그것이 얼마나 천문학적인 확률의 기적인지 아시겠지요?"

"무슨 말을 하시려는지는 알겠어요."

아무리 세계의 저주가 이 세상의 인과를 비틀고 있어도, 결국 그 인과는 에반을 향하기 때문에 에반과 관련 없는 곳에서는 균열이 일어나지 않을 것이라는 얘기였다. 하지만 거기에도 오류는 있었다.

"드래곤이 날 찾아온 게 아니라 내가 드래곤을 찾아갔잖아요? 더구나 드래곤은 원래 머물던 곳에서 다른 탐험가들을 해치운 것 같기도 했고."

"단언컨대, 드래곤이라는 존재가 지닌 거대한 업에 비하면 그 정도는 사소한 오차에 불과합니다."

거기에 대해서는 뭐라 할 말도 없었다. 사실 탐험가가 죽어 봤자 얼마나 죽었을 것인가.

더욱이 에반이 직접 드래곤을 찾아갔던 것에 대해서는……

반대로 에반이 그곳을 찾아갈 운명이었기에 거기에 드래곤이
나타났다는 얘기가 될 수 있었다.

"전 정해진 운명이니 인과니 하는 얘기는 싫어하는데 말이
죠……."
"지금 실시간으로 그걸 깨부수고 계시지 않습니까. 혼원계
의 균열은, 어찌 보면 당신의 훌륭한 저항의 상징이에요."
"에휴."

에반은 짙은 한숨을 내쉬곤 재차 그녀에게 물었다.

"그럼 앞으로도 그 균열이란 것들이 저와 관련된 곳에 나타
난다고 해석해도 될까요?"
"저도 모든 것을 알 수는 없지만, 아마도 그렇지 않을까 생
각해요. 그러니 자신 때문에 세상이 멸망하지 않을까, 괜한 죄
책감에 시달리실 필요는 없어요."
"아니, 죄책감은 없어요."

에반이 갑자기 정색하며 말했다.

"이 세상은 저 없었으면 요마왕도 견디지 못하고 끝내 무너
졌을걸요. 그러니까 이 정도 위험부담은 같이 짊어지지 않으
면 수지 타산이 안 맞죠."

"음, 그건 부정을 하지 못하겠네요. 당신이 없었다면 적어도 인간족은 확실하게 멸망했겠지요."

에반의 말에 미로엘은 재차 미소 지으며 고개를 끄덕였다. 하이엘프의 미소는 에반조차 부끄럽게 만들 정도로 매력적이었지만 에반은 다시는 착각을 하지 않기로 마음먹은 몸이었기에 강철 같은 마음으로 그 매혹을 이겨 냈다.

"후, 가벼운 마음으로 의논이나 할까 왔다가 상상 이상으로 무거운 진실을 들어 버렸네요. ……마음은 개운해졌지만."
"너무 걱정하지 마세요. 당신에게 죽음을 안겨 주기 위해 세상이 마련한 드래곤이 지금 어떻게 되었는지 보면, 그리 고민할 것도 없는 일이지 않을까요."
"네, 맞는 말이에요."

과연 하이엘프나 할 법한 대담한 말을 입에 담는 미로엘에게 에반도 마주 웃어 주며 대꾸했다.

"기왕 이렇게 된 거, 균열 타고 넘어오는 녀석들로 우리 기사단 장비나 업그레이드하죠."

대변화 이후로 뒤바뀐 셰어든 던전의 51층 너머, 심층에 돌입하기 전날 밤 둘이 나눈 대화였다.

✦✦✦

"자, 그런고로 우리는 앞으로 신대의 괴물들과 주구장창 싸우게 될 거야. 그것을 위해서라도 최소한 셰어든 던전 완전 정복은 달성하지 않으면 안 돼."

시니어조를 모아 놓고 에반이 앞으로의 일들에 대해 대략적으로 설명하자, 샤인이 고개를 절레절레 저으며 대꾸했다.

"던전이 생겨난 이래 그 누구도 세운 적 없는 업적을 아무렇지도 않게 말씀하시는군요."
"흥, 그건 이 세상 사람들이 지나치게 나약한 거라니까."

게임 속에서라면 지금보다 훨씬 열악한 환경에서도 이미 수백 번은 돌파한 것이 셰어든 던전 최하층이다.

게임은 죽어도 다시 로드 기능으로 불러오는 게 가능하니 그런 것 아니냐고? 모르시는 말씀, 세상에는 내로라하는 변태들도 물구나무로 뒷걸음질 치게 만드는 하드코어한 변태들이 넘쳐 난다.

세이브 불가, 물론 로드도 불가, 여관 휴식 불가, 포션 불가, 파티 불가라는 말도 안 되는 제약을 스스로 걸고 300시간 안에 히든 보스 포함 요마대전3 완전 공략 같은 영상도 넘쳐 났다! 전생의 여반민도 그 영상으로 인한 수입이 제법 됐었지…….

"그럼 이제 제가 물구나무로 뒷걸음질 치면서 물러나면 됩니까?"

"뭘 그럴 것까지. 단지 기억해. 셰어든 던전 정도로 겁을 먹어서는 균열의 존재들은 상대할 수 없다는 것."

"그거야…… 이 장비들만 봐도 질리도록 알 수 있습니다. 드래곤을 제가 직접 만나 보지 못한 것이 후회스러울 따름이죠."

여태껏 에반과 같이 농담을 나누던 샤인도 그 부분에 이르러선 진지한 표정을 지었다. 그는 드래곤을 사냥할 때 에반과 함께 있지 못했던 것에 내심 자격지심을 갖고 있었다.

"다음엔 뭐가 나타나든 제가 활약해 보이겠습니다."

"그 마음가짐이면 충분하려나. 좋아, 그럼 이제 던전에 들어가자."

사일런트 나이트처럼 믿음직스러운 표정을 짓는 샤인의 모습에 만족한 에반은 그의 어깨를 두들겨 주고는 일행을 정렬시켰다.

저마다 드래곤의 부산물로 만든 장비를 입고, 그 위에는 붉은 망토를 걸친 시니어조의 모습은 정말이지 감탄이 나올 만큼 멋들어졌다.

"나 코피 나올 것 같아."

"단장님, 너무 멋져요!"
"아, 매력은 최대한 낮춘다고 낮췄는데…….."

특히 시니어조의 선두에서 그들을 이끄는 에반은 단장 전용 망토에, 드래곤 하트의 일부를 사용해 만든 서클릿까지 착용하고 있었기에 자체 발광이 멈추질 않았다.

동화책에서 금방 튀어나온 환상의 왕자님, 모든 여자가 2D를 통해서만 얻을 수 있는 완벽한 이상형이 그대로 현실에 구현된 것만 같은 비주얼! 금방이라도 다시 책 속으로 들어갈 것만 같이 몽환적이고 신비스럽기까지 했다.

"좋아, 완벽해."
"나도 단장님이랑 같이 던전 들어가고 싶다…….."
"참아, 단장님이 안 계시는 동안은 우리가 셰어든을 지켜야하니까."

부단장인 샤인과 아리샤까지 한꺼번에 에반과 같이 던전에 들어가게 되면 지상에 남은 주니어조의 통솔은 진이 맡게 되는데, 그 진이 지금은 다른 임무로 여의치 않기에 그를 대신해 마리가 아이들을 맡았다.

그녀는 폴과 함께 주니어조의 원년 멤버이기도 할뿐더러 워낙 기가 세기 때문에 주니어조의 아이들은 그녀에게 반항하지 못했다. 지금도 그녀는 아이들을 한자리에 모아 놓고 에반 일행에게 어스트레이식 경례를 하고 있었다.

"잘 다녀오세요, 단장님. 지상은 맡겨 주세요! 부단장님도
안녕히 다녀오세요. 활약하시길 기도하고 있을게요."
"그래, 고마워."

마리는 아직까지 샤인에 대한 짝사랑을 포기하지 못한 모
양이었다. 샤인을 뚫어져라 바라보며 말하는 마리에게 샤인
은 그저 쓴웃음을 지어 보일 뿐.
그 옆에 선 아나스타샤가 과시하듯 샤인의 팔을 끌어안았
다. 마리의 두 눈에서 불똥이 튀어 올랐다.
보기만 해도 위가 아파지는 광경에 에반은 슬쩍 고개를 돌
렸다. 아리샤가 그의 팔을 끌어안을까 말까 망설이고 있는 것
이 보였다. 부디 그것만은 참아 주었으면 했다.

"그럼 가자."
"우리 망토만 새로 맞췄을 뿐인데 굉장히 통일감이 넘쳐 보
이네."
"그게 유니폼의 힘이지."

에반의 말마따나 유니폼의 힘은 과연 대단했다. 어스트레
이 시니어조가 거리에 나타나자마자 거리에 있던 모든 이의
시선이 그들에게로 쏠린 것이다. 물론 이번에 새로 장만한 장

비도 결코 수수하지 않았기에 더욱 주목을 받았다.

"바로 얼마 전에 던전에 들어가시지 않았던가? 정말 열심이시군."

"모르는 말을. 원래 던전 기사단은 던전 공략의 최상위권에 있어야 발언력이 더 강해진다고. 에반 공자님은 그것을 놓치지 않으시려는 거야."

"그런데 저 장비들…… 굉장해 보이는데. 여태껏 저만한 아티팩트들을 감춰 두고 계셨다니."

"이번에 새로 맞추신 거 아냐?"

"말도 안 되는 소릴. 저렇게 많은 아티팩트를 어떻게 단기간에 만들어 내나?"

곳곳에서 들려오는 소리를 깔끔하게 무시하고 오직 앞을 바라보며 걷는 에반. 그의 이마의 서클릿이 태양 빛을 반사하며 찬란하게 반짝였다.

망토와 서클릿의 매력 증폭 옵션을 꺼 버렸지만, 단지 착용한 것만으로 그가 더 멋져 보이는 것은 어쩔 수가 없었다.

"정말 멋진 분이셔."

"첩이라도 좋으니 에반 도련님을 곁에서 모실 수 있었으면…… 힉!"

주위에서 에반의 미모에 대한 찬사가 흘러나올 때마다 아리샤와 벨루아가 그들을 견제하듯 돌아보았다. 세레이나는 아무 생각이 없는 것처럼 마냥 웃고 있었다.

"기다리고 있었습니다, 에반 도련님!"

던전 입구를 지키고 있던 병사들이 에반을 발견하자 경례를 하며 길을 텄다.

에반이 그들의 경례를 받아 주며 일행을 이끌고 앞으로 나아가려는데, 병사들을 인솔하고 있던 기사가 달려와 그에게 귓속말로 보고했다.

"최근 도시가 뒤숭숭합니다, 도련님. 자세한 것은 알 수 없지만…… 던전에서도 다른 이들을 조심하셔야 합니다."

"걱정해 줘서 고마워요. 하지만 그럴 걱정은 없을 거예요."

에반은 씩 웃어 보이곤 기사를 지나쳐 던전의 입구 마법진으로 향했다. 마법사의 영창에 맞추어 마법진이 번쩍이며 복잡한 문양을 그려 냈다.

여태까지 에반 일행이 몇 층까지 탐험을 마쳤는지 모르고 있던 마법사가 무심코 문양의 의미를 읽어 내곤 헉, 소리를 냈다.

"던전, 51층……!"

"51층이라고!?"

"맙소사, 던전 공략에 사활을 걸고 그 안에서 살다시피 하는 세이크리드 길드도 아직 40층에 막혀 있다고 들었는데……!"

사방에서 경악성이 터져 나왔다. 에반 일행이 나타난 순간부터 그들을 쫓고 있던 무수한 사람들이 그야말로 전원 석화 마법에라도 당한 것처럼 그 자리에 굳어 버리고 말았다.

그러고 보면 저번에는 던전을 어디까지 내려갔는지 공표하지 않았었다. 그도 그럴 것이 아무리 던전 50층이 깊다 한들 대변화 이전에 이미 70층까지 탐험했던 에반 입장에선 성장에 도움이 되지도 않는 저층에 불과했기 때문.

"허, 제가 괜한 걱정을 했습니다."

기사가 부끄럽다는 듯 고개를 숙였다.

"51층까지 따라와 도련님께 해코지를 할 수 있는 인간은 없을 테니 말이죠……."

"음, 뭐 인간은 없겠죠. 그러니 걱정하지 말고, 제가 없는 동안 도시를 지켜 줘요."

"도련님 말씀에 따르겠습니다!"

기사가 에반에 대한 존경심을 담아 다시 그에게 경례를 취했다. 그의 경례를 담담히 받아 주는 에반을 보며 누구나가 생각했다.

그가 당당히 버티고 서 있는 한 이 도시의 그 누구도 1인자가 될 수 없으리라고.

"그럼 지금부터 어스트레이 시니어조는 던전 51층에 진입한다."

"준비가 되었습니다!"

마법진이 발광했다. 에반은 일행을 이끌고 망설임 없이 그 안에 들어섰다. 빛이 그들을 집어삼키고, 다음 순간엔 이미 던전이었다.

"흠, 그런데 아까 세이크리드라고 했었지?"

"아, 지금 던전 공략이 제일 빠르다는 길드 말입니까."

50층까지의 던전에 비해선 한결 밝고 광대한 51층의 정경을 둘러보며 에반이 중얼거리는 말에 샤인이 즉각 대꾸했다. 그는 어스트레이 내에서 가장 정보에 밝은 이였다.

"길드라기보단 공략조에 가깝습니다. 총원 일곱 명에 불과하니까 한 파티의 정원에조차 못 미치죠. 다만 개개인의 실력은 확실한 모양인지라, 아직 활동을 시작한 지 얼마 되지 않앉음에도 불구하고 쾌속으로 던전을 돌파하고 있다고 합니다. 대신 정말 모든 것을 던전 공략을 위해 쏟아부었다고."

"흐음."

"그렇다고 다른 길드가 크게 뒤처지는 건 아닙니다. 피닉스 길드나 그라칸 길드는 도련님의 조언을 받아들여 속도보다는 안전하고 확실하게 한 층 한 층 공략하고 있으니까 느린 것처럼 보일 뿐이죠. 그들도 슬슬 속도를 낸다더군요."

"뭐 피닉스 길드가 활약해 주리라고는 나도 확신하고 있는데 말이지."

세이크리드 길드. 이들은 사실 요마대전3에서 나오는 길드가 아니라, 요마대전4의 주인공과 엮여 크게 활약하게 되는 길드였다. 당연히 게임 속에서 그 활동 시기는 지금보다 몇 년 후.

물론 새삼스러울 일은 없었다. 애당초 게임대로 시나리오가 흘러갈 것이었다면 낙원유랑 길드가 지금까지도 건재해야 했다.

'어쩌면 이름만 같고 다른 길드인지도…… 아니, 그건 아닌가. 요마대전4의 주인공을 제외하고 일곱 명이라면 숫자도 맞고.'

에반은 스스로 반성했다. 너무 기존의 시나리오대로만 정보를 체크하고 있었던 것이다. 물론 중요한 정보는 그의 손을 통하지 않는 것이 없지만, 지금처럼 놓치는 것도 없지 않았으니까.

"앞으로 그 길드에 대한 정보는 직접 관리해. 아, 악토핸드, 밀레인, 쿠야트라는 길드가 있는지도 따로 알아봐 줄래? 국내에 없으면 국외라도."

"예, 기억해 두겠습니다."

"좋아, 그럼 이제 던전 공략하자."

에반은 지도를 꺼내 들려다가…… 일단은 집어넣었다.

50층까지는 비교적 단순해서 단기간에 지도를 작성하고 다음 층으로 넘어가는 것이 가능했지만, 51층부터는 랜덤 요소가 섞이는 만큼 여태 했던 것처럼 몇 시간 만에 한 층을 공략한다든가 하는 것이 불가능했기 때문이다.

그렇기에 대변화 이후의 던전은 51층 이후부터는 완전히 별개의 공간이라고 해도 좋다. 몬스터도, 함정도, 던전도 그 모두가 이전까지와는 완벽하게 다르다. 쾌속 진행도 불가능했다. 그저 신중하게 한 발 한 발 나아갈 따름이다.

"랜덤 요소라는 건 무슨 말씀입니까?"

"음, 안 그래도 심층에 오게 되면 설명해 주려고 했었지. 다들 저길 볼래?"

에반은 지금 그들이 있는 공동에서 조금 더 나아간 곳에 있는 동굴 통로의 틈새를 가리켰다. 그곳에 말라붙은 새하얀 무언가가 보였다.

"으음, 함정입니까?"
"소금이야."
"암염입니까! 던전 암염은 굉장한 가치를 지니고 있다고 들었는데요!"

샤인의 말에 에반은 물론이고 다른 이들마저 샤인을 한심하다는 듯이 바라보았다. 에반은 인자한 표정으로 말해 주었다.

"지금 이대로 세월이 터무니없이 오래 흐르면, 어쩌면 이 위로 암염이 생길 수는 있겠지."
"저 그쪽엔 좀 약합니다…… 그래서 결론이 뭡니까?"
"여기 바다가 있다고."

에반은 샤인이 원하는 대로 바로 결론을 얘기해 주었다. 그러나 이 말에는, 샤인뿐만 아니라 다른 이들도 깔끔하게 굳어 버리고 말았다. 가장 먼저 충격에서 깨어난 것은 물론 아리샤였다.

"그러니까 에반…… 셰어든에, 바다가?"

"응."

에반은 침착하게 고개를 끄덕였다. 그와 함께 손가락을 들어 공동 너머를 가리키는 에반. 그곳에서 하나둘씩 모습을 드러내는 몬스터가 보였다.

물고기의 얼굴에 지느러미, 오우거의 몸통을 갖고 있는 몬스터. 마치 펠라티 던전에 나타나는 어류 몬스터 사하긴과 오우거를 합성해 놓은 듯한 모습이었다.

"맙소사…… 셰어든에 대체 무슨 일이 일어나고 있는 거야?"
"뭐, 간단해."

그나마 지금까지의 변화만 놓고 보면 대변화 이후의 던전 자체는 요마대전3과 같은 모양이라고 속으로 안심하며 에반이 말했다.

이 대변화에 얽힌 진실, 마족들의 노림수, 던전과 탐험가의 관계…… 그 모든 시나리오를 관통하는, 지금 일행이 알아 두어야 할 심층의 던전에 대한 설명을.

"셰어든 던전 51층 이후의 심층은, 다른 초대형 던전들과 섞여서 나타나게 되거든."

플레이어들은 그것을 단 한 단어로 불렀다.

'특이점'이라고 말이다.

셰어든 던전과 펠라티 던전, 그리고 메르딘 던전.

흔히 일컫는 이 셋의 초대형 던전이 나타난 후로 몇 세대가 흘렀다고는 하지만, 기나긴 세계의 역사에 비하면 그것도 티끌에 지나지 않는 시간이다.

하지만 그 짧은 시간 동안 세상의 질서는 던전을 중심으로 개편되었으며, 보물을 바라는 자, 성장을 원하는 자 모두가 던전에 목을 매게 되었다.

그렇기에 인간들은 던전을 신이 인간에게 내려 준 마지막 축복이라고 생각했다. 때로 인간에게 들려오는 신의 목소리는 그 증거가 되었다.

"하지만 여태까지 나와 함께 던전을 탐험해 온 너희들이라면 그게 그렇게 단순한 문제가 아니라는 사실을 알 거야. 히든 보스를 클리어하고 들어가는 보상방에는 마신의 조각상이 있고, 던전에는 지나치게 사람의 희생을 강요하는 함정도 적지 않지."

"신이 인간에게 내리는 시련이며, 보상이라기엔…… 확실히 납득할 수 없는 점들이 많이 있었습니다. 이전 도련님께서도 말씀하셨죠. 던전은 인간의 부정적인 감정을 끌어내는 데 특화된 공간이라고."

"그래."

에반의 말에 벨루아가 조용히 고개를 끄덕이며 답했다. 에반은 손가락으로 비드를 튕겨 그들에게 달려드는 오우거와 사하긴의 키메라처럼 보이는 몬스터 ─ 씨 오우거를 일격살하며 말을 이었다.

"루아 너는 일찍이 던전에 의문을 품고 있었지. 그때도 나는 비슷한 말을 했을 거야. 그로부터 세월이 많이 흐른 지금은…… 던전에 대해 어떻게 생각하지?"

"스스로 결론을 내린 지는 제법 되었습니다. 특히 저희 신인족이 태어나게 된 의미에 대해서도 깊이 생각을 해 봤고요."

"우린 던전에서 크게 성장할 수 있으니까. 더구나 이 던전의 신이라는 존재들이 유독 우리를 더 챙겨 주는 것 같기도 하고."

신인족의 존재는 일반인에게는 쉬이 받아들여질 수 없을 것이다.

던전을 신이 만들었다는 주장에는 박차가 가해질지 몰라도, 어째서 굳이 던전에서'만' 강해질 수 있는 종족을 만들어 냈는가, 하는 의문이 남기 때문이다.

"그래서 한때는 신인족의 탄생에 신이 아닌 다른 존재가 관여되어 있는 것이 아닌가, 하는 생각도 했습니다만."

"맙소사, 그건 아니라고 내가 얘기했었잖아. 너흰 신이 직접 만든 종족이라니까. 던전을 보다 수월히 탐색하고, 그 끝에 크게 성장할 수 있도록 안배된 종족."

"예, 도련님이 계셨기에 길을 잘못 들지 않고 바른 판단을 내릴 수 있었습니다. 제가 정확하게 판단했는지는 모르겠지만 일단 제 생각을 말씀드리자면……."

벨루아는 에반에게 설산정령 귀걸이를 받은 그날 여우불로부터 진화한 스킬, '바이올렛 크리스탈'을 시전해 에반의 사냥에 한 팔을 거들며 신중한 목소리로 말을 이었다.

"던전은 신들이 만든 공간은 아닐 것입니다. 만약 던전이 평범하게 신들이 인간을 위해 만들어 준 공간이라고 한다면, 그렇다면 굳이 신인족이 탄생할 필요는 없었다고 생각합니다."

"오."

"어째서 신인족이 탄생해야만 했는가를 생각하면 가능성은 두 가지. 던전을 끝까지 정복할 필요성이 있었기에 그들이 던전에서 강해지도록 유도했든가, 던전의 끝에 위험한 것이 있기에 인간에게 그것을 막아 낼 힘을 주었든가."

"음, 우선 전자는 아냐."

인간들이 던전을 마냥 가만히 놔두었다면 아무 문제도 없었을 것이다.

하지만 인간의 탐욕이 지하에 나타난 던전을 가만히 놔두지 않을 것임을 알았기에, 어쩔 수 없이 신들이 끼어들어서 수

작을 부린 것이다. 레벨도, 신인족도 모두 마찬가지다.

"그렇다면 남는 것은 한 가지로군요. 던전의 끝에 위험한 것이 있기에 신인족을 굳이 만들어 냈다는 결론입니다. 아마 평범한 몬스터는 아닐 것이고…… 요마왕이 아닐는지요."

"맞아. 보다 정확히는, 던전을 완전히 공략함에 따라서 요마왕이 부활해야 한다고 봐야겠지. 세어든, 펠라티, 메르딘. 이 세 곳에 있는 던전은 요마왕의 부활을 위해 설치된 요람이자 자궁이야."

"역시……."

다들 생각처럼 놀라지 않았다. 벨루아처럼 깊게 생각은 하지 않았어도, 막연히 그럴 것이라고 생각하고 있었기 때문이리라.

아니, 어쩌면 사방의 통로에서 그들이 나타나기만 기다리고 있었다는 듯이 밀려드는 씨 오우거들을 상대하느라 바빠졌기 때문일지도 몰랐다.

방패만 앞으로 내밀고 있으면 되기에 상대적으로 한가한 라이한이 에반의 말을 받았다.

"공자님께서 던전에 대해 설명해 주신 후부터 줄곧 생각했습니다. 인간이 생산하는 온갖 부정적인 감정들이 마족을 살찌우고 있다면, 온갖 부정적인 감정을 하나로 집중시키는 던전의 존재는 무엇을 위한 것일까. 결론은 한 가지더군요."

"요마왕에게 영양분을 주고, 키워 주는 자궁. 정말 그럴듯
한 단어 선정인걸."

"그렇다면 인간들이 던전에 많이 들어가면 갈수록 요마왕
의 부활이 빨라진다는 얘기입니까. 그야 신들이 인간들을 최
대한 강하게 만들어 주려 애쓰고, 신인족이란 새로운 종족을
만들어 낼 법도 하군요."

말로 정리하고 보면 뭐든 간단한 일이다.

샤인이 드래곤 본으로 몸체를 바꿔 보다 가벼워지고, 보
다 날카로워진 쌍단검을 휘둘러 한쪽에 몰려 있던 모든 씨
오우거들을 깔끔하게 정리하고는 단검의 피를 털어 내며 돌
아왔다.

"다만 던전에 들어가서 제대로 성장하기 전에 거의 모든 신
인족들이 불행한 최후를 맞게 된다는 부분까지는 미처 신경
을 못 썼던 모양입니다."

"신들이 너희에게 항상 미안해하는 이유이기도 하지. 그들
이 신인족을 만들어 낼 때, 워낙 다급한 사안이라 서두르다 보
니 밸런스 조절에 크게 실패했거든."

그런 대신 제대로 성장 루트만 잡으면 지금의 벨루아와 샤
인처럼 어처구니없을 만큼 강하게 성장할 수 있지만 말이다.

"그런데 도련님, 도련님 말씀대로라면…… 그건 그냥 던전을 끝까지 공략하지 않으면 해결되는 문제가 아닙니까?"

"으음, 처음엔 그랬지. 하지만 지금은 아냐. 그것과 지금의 이 사태가 관련이 있어."

"아, 드디어 지금 이 상황과 이어지는 것이로군요."

세 가지 던전의 요소가 모두 혼합되어 나오는 대변화 이후의 던전 심층. 이것은 마족들에 의해 주도된 일이며, 요마왕의 부활을 앞당기기 위해 실시된 일이기도 했다.

"원래 요마왕이 부활하려면 모든 던전의 최하층이 공략되어야만 해. 그것이 의식의 완성이지. 그런데 신들이 개입하여 인간에게 힘을 주고…… 특히 신인족이 나타났다는 것을 알게 되면서, 마족들은 이러다가 정말 부활한 요마왕이 인간에게 당할 수도 있겠다는 생각을 하게 된 거야."

그런 생각을 품게 되어 던전과는 다른 방법으로 요마왕을 강림시키려 했던 것이 요마대전2의 마화족이다. 하지만 마화족은 패배했고, 마족들은 다른 방법을 강구하게 된다.

"그것이 지금의 대변화지. 지금 이걸 봐. 어째서 세 던전의 몬스터들이 섞여서 나타나겠어? 답은 간단해. 굳이 던전을 한데 섞어 의식의 장을 통일함으로써, 세 던전을 모두 공략하지 않아도 되도록 요마왕의 부활 조건을 완화시킨 거야."

"허어…… 놀랍군요."

그것이 마족 대공습에 이은 던전 대변화의 진실이었다. 인간들이 미처 준비가 되지 않았을 때 요마왕을 강림시켜 인간 세상을 집어삼키기 위한 마족들의 계략!

물론 이 대변화의 술식을 만들어 내기 위해 마족들도 나름 큰 희생을 치렀겠지만 지금은 그런 건 알 바가 아니었다.

"하, 그럼 혹시 펠라티 던전이나 메르딘 던전을 통해 입장한 이들도 심층에서는 우리와 마주치게 됩니까?"

"공간이 왜곡되어 있긴 하지만 만날 가능성이 제로는 아니지. 물론 지금 시점에서 펠라티에서 심층에 도전할 만큼 강한 이는 없겠지만. 메르딘에 대해서는, 심층을 탐험하다 보면 그곳의 지금 상황에 대한 힌트를 얻을 수 있을지도 모르겠다."

덤으로 그것은 에반이 심층에 대한 공략을 신중하게 진행하려는 이유이기도 했다.

심층에는 분명 메르딘도 포함되어 있을 터, 현재 상황을 알 수 없는 메르딘으로부터 던전에 무엇이 흘러들어 와 있을지 모르는 만큼 불안 요소가 늘었다고 볼 수 있기 때문이다.

하지만 그것은 그때 가서 생각해도 될 일. 에반은 고개를 저어 생각을 털어 내며 이어서 설명했다.

"더욱이 이 심층은 단순히 요마왕의 부활 시기를 앞당기는 것뿐만이 아냐. 대변화를 거쳐 심층 너머 영역이 융합된 던전은, 에너지를 끌어모으는 효율이 이전에 비해 압도적으로 좋아진 상태야."

"즉 똑같이 부정적인 감정이 발생해도, 마족은 보다 많은 에너지를 얻게 된다는 뜻입니까?"

"정답. 대변화 이전에 던전을 충분히 공략해 두지 않으면 대변화 이후로 공략이 시간을 많이 잡아먹게 되는 탓에…… 라스트 보스로 등장하는 요마왕의 스테이터스가 그야말로 우주를 뚫어 버리게 되는 안습한 사태가 나타나곤 했지."

에반은 일부러 대변화 시나리오 돌입 최소 조건까지만 맞춰 놓고 대변화를 맞이한 후, 최대한 늦게 던전을 공략한 결과 마신 뺨이라도 때릴 수 있을 정도로 강해진 요마왕과 전투를 벌였던 게임 시절을 떠올리며 아득한 표정을 지었다.

독극물 중의 독극물이라 불리는 여반민에게도 그 전투는 실로 치열했더랬다…….

더욱이 지금은 원래 게임 속 전개와는 달리 대변화 시기가 한층 당겨지기까지 했으니, 에반이 없었더라면 이 세상의 인류는 꼼짝없이 요마왕에게 패배하는 수밖에 없었을 것이다.

"어쩌면 도련님이 계셨기에 그놈들이 더욱 서두른 것이 아닐까?"

"아니 설마 그럴 리가."

"사천왕이 둘 당하기 전에는 그들도 도련님의 존재를 그리 심각하게 고려하지 않고 있었을 거야. 그러니 그 추측은 틀려. 뭔가 다른 요인이 있었기에 도련님의 예지와 빗나간 것이겠지."

"루아의 말이 맞아. 더욱이 메르딘 봉쇄는 나도 상상도 못했던 일이기도 하고."

누누이 말하지만 이제 에반은 예지라는 말에 일일이 태클을 걸지 않기로 명심하고 있었다.

"과연, 그래서 도련님이 탐험가들에게 안전을 중시한 탐험을 강조하시는 거로군요."

"처음에 사상자를 대량 발생하도록 방치해, 그 결과 탐험가들이 위축되게 만든 것도 마찬가지 이유겠지."

벨루아와 아리샤는 에반의 계략을 알아차렸는지 고개를 절레절레 내저었다. 뒤늦게 라이한이 깨닫곤 말했다.

"공자님은 인간들이 던전에 전력투구하는 것을 바라지 않으시는군요."

"네, 감당할 수 있을 만큼만 노력해 주면 좋겠다고 생각하고 있어요. 어차피 요마왕을 잡을 사람들은 정해져 있거든요. 나머지 인류는 적당히 마족을 상대할 수 있을 정도로만 강해져도 됩니다."

그리고 그것이 가장 '효율이 좋다.'
인간 측에 사천왕을 상대할 수 있는 영웅 한 명이 생겨나려면, 그때까지 치른 희생을 통해 마족 측에는 사천왕이 새로 두 명 정도 생겨나는 것이다. 그렇다면 차라리 인간을 던전에 들여보내지 않는 것이 낫다!
예전이라면 에반도 이렇게까지 극단적인 생각은 하지 않았을 것이다. 하지만 마족을 비롯한 적들이 게임 속보다 더 강화되어 나타나는 가운데, 인류는 게임 속 NPC만도 못한 모습을 보며 자연히 이런 결론을 내리게 된 것.

"어휴, 사람을 고르는 도련님의 그 성격은 정말 어쩔 수가 없겠습니다."
"시대가 날 이렇게 만든 거야, 시대가."

샤인이 혀를 내두르며 하는 말에 에반이 묘하게 늙은이같이 대꾸하며 입술을 삐죽였다. 그때 여태까지 얌전히 있던 세레이나가 한 손을 들고 질문했다.

"오빠, 여태까지 해 준 말들을 듣고 궁금한 게 생겼는데."

"뭔데?"

[꿎!]

[뀨우우우웃!]

세레이나는 위험 요소가 넘쳐 나는 던전의 심층에서도 한 없이 여유로웠다. 그녀의 펫들은 이미 적들과 치열하게 전투 를 벌이는 가운데 그녀만 혼자 편안하게 놀고 있었던 것이다.

참고로 나르는 아직 던전 심층을 탐험할 만큼 강하지 못하 기 때문에, 특별히 만들어 준 녀석 전용의 훈련장에서 에반이 잔뜩 소환해 놓은 슬라임들을 상대로 고군분투하며 성장하고 있었다.

"초대형 던전이 본디 요마왕의 부활을 위해 마련된 장소이 고, 신이 베푸는 레벨이나 신인족은 그 요마왕을 막기 위해 마 련된 수라는 것, 그리고 지금은 그 세 던전의 심층이 융합되 어 요마왕의 부활 조건이 완화되었다는 것까지도 다 알겠어. 그런데 오빠는 요마왕은 세이브라는 아이한테 맡기겠다고 하 지 않았었어?"

"그랬지."

"하지만 우리가 셰어든 던전을 완전히 정복해 버리면 요마 왕이 부활하는 건데, 그건 어떻게 할 거야?"

"아, 걱정하지 마. 그건 시기를 조율할 거니까. 더구나 던전 을 정복하면 요마왕이 부활한다고는 했지만 그 과정에 또 해

결해야 할 일들이 몇 가지 있거든. 세이브한테는 그쪽을 맡길 거고. 그러니까 원하는 타이밍에 부활시켜서 잡을 수 있어, 괜찮아."

"원하는 타이밍에 부활……."

"그렇구나, 오빠한테는 부활을 시켜서 잡는 것까지가 하나의 과정이구나."

더구나 던전을 완전 정복한다고 말은 기세 좋게 했지만, 아까도 말했다시피 세 개의 던전이 합쳐지며 던전 맵에 랜덤 요소가 생긴 만큼 그렇게 빠르게 공략하는 것은 불가능하다.

에반의 철저한 교육을 받고 성장한 세이브라면 그의 지원을 받아 그들의 뒤를 빠른 속도로 따라잡을 수 있으리라.

'무력적인 면에서 따라잡는 건…… 아마 무리겠지만.'

아니, 게임에서보다 훨씬 이상한 지금의 세이브를 보면 어쩌면 시니어조 수준으로 강해지는 것도 가능할지 모르지.

에반은 자신이 세이브를 보다 강하게 만드는 원흉이라는 것도 미처 깨닫지 못한 채 그렇게 중얼거렸다.

"아무튼 이제 다들 속 시원하게 알았겠지? 그럼 슬슬 전진하자. 이제 곧 메르딘 던전의 영향도 나타날 거야. 언데드 던전의 모든 것이 다른 던전에 비해 더 더럽고 까다로우니까 각

오늘 단단히 하도록."

"넵!"

에반은 이 세상의 비밀을 깨닫고 보다 초롱초롱한 표정을
짓고 있는 일행을 이끌고 던전을 조심스럽게 주파했다.

융합의 영향으로 길도 한층 복잡했고, 함정도 보다 기괴했
으며, 몬스터에 이르러선 말할 것도 없는 최악. 하지만 그런
괴악한 조건들도 어스트레이의 앞길을 막을 수는 없었다.

그렇게 몇 시간이 흘러 대략 던전 51층의 윤곽을 머릿속에
새겨 넣을 수 있게 됐을 무렵…….

"뭔가 이상한데."

에반은 비로소 깨달았다.

"메르딘 던전은 어디로 간 거야……?"

펠라티 던전의 흔적은 처음부터 발견할 수 있었다. 셰어든
과 펠라티가 섞인 흔적도 얼마든지 상대했다. 한결 악랄한 함
정도, 바다에 잠긴 지대도 일부 통과했다.

"언데드가 없는데……?"

하지만 실로 이상하게도.

메르딘의 흔적만은 던전에서 찾을 수가 없었다.

어쩌면 메르딘의 봉쇄가 던전에까지 영향을 미쳤을지도 모른다는 사실을 에반이 깨달은 것은, 그로부터 5분이 흐른 후였다.

❋ ❋ ❋

"없지?"

"없습니다."

"여기도 없습니다, 도련님."

메르딘 던전에는 굉장히 뚜렷한 특징이 있다. 그것이 언데드 던전임을 드러내는 가장 큰 증거, 바로 해골이다.

전체적으로 어둑어둑한 공동묘지의 디자인을 띠고 있는 메르딘은 본편에는 던전으로 등장도 한 번 안 하는 주제에 제작진이 쓸데없이 내부 디자인을 공들여 만든 것으로 유명했는데, 그중 하나가 바로 던전 벽에 박혀 음산한 빛을 발하는 해골이었다.

이 해골은 존재만으로 생자의 기운을 떨어트리며 그와 동시에 언데드들의 기운을 증폭시킨다. 그런 주제에 인간은 이것을 건드릴 수도 없는 접근 불가 오브젝트 취급.

보스 룸에 진입하면 이 해골이 수두룩 빽빽하게 깔려 있어

플레이어는 최대로 약화되는 반면 보스 몬스터는 극한을 뛰어넘어 강해져, 이 디버프 효과를 어떻게 이겨 내고 플레이하냐에 따라 승부의 행방이 갈리⋯⋯게 될 것이라는 유저 분석이 있었다.

그야 메르딘 던전의 보스랑 다른 누가 싸운 적이 있어야 말이지!

'유저가 메르딘 던전을 간접적으로나마 겪어 볼 방법은 대변화 이후의 심층 탐색뿐이니까.'

그나마도 세 던전이 융합된 형태에서 셰어든 던전과 펠라티 던전을 빼내고 메르딘만 남겨 3D로 분석한 결과라는데 전생의 여반민은 메르딘에 그렇게까지 관심이 없었기 때문에 그이상은 모르고 있었다.

다만 한 가지 확실한 것은, 세 던전이 융합되어 탄생한 대변화 이후의 셰어든 던전 심층에서는 반드시 메르딘 던전의 해골이 나타난다는 사실이다.

"역시 해골 같은 건 하나도 안 보이는데요. 역시 메르딘 던전은 융합에 포함되지 않은 것 아닙니까."

"언데드도 나타나지 않고 있죠. 단장님, 아무래도 메르딘을 봉쇄한 결계는 비단 도시뿐만 아니라 던전까지도 융합에서 제외시킨 모양입니다."

51층을 샅샅이 분석하고도 모자라 52층으로 넘어와 한참을 뛰어다닌 후에야 시니어조는 그런 결론을 내릴 수 있었다.

본래 세 던전이 융합되었어야 할 심층은 지금, 셰어든과 펠라티 두 개만으로 이루어져 있다는 결론을.

"미로엘, 알고 있었나요?"

"저라고 모든 것을 알고 있는 것은 아니죠. 이렇게 될 줄은 몰랐어요. 하지만 굉장히 흥미로운걸요. 3년 전 마족들은 세력을 셋으로 나누어 셰어든과 펠라티, 메르딘을 각각 침공한 것이 맞죠? 그로써 던전 대변화를 불러일으킨 것이고요."

"맞아요. 그러니 당연히 저는 메르딘의 봉쇄에 마족들의 숨겨진 의도가 있으리라 확신했죠."

그런데 뚜껑을 열어 보니 설마 던전 융합에서 메르딘만 빠져 버리는 결과가 나올 줄이야?

던전 대공습의 목적은 어디까지나 던전 융합이었는데, 그중 메르딘을 봉쇄함으로써 그들의 목적은 어긋나게 된 것이다. 바보짓도 이런 바보짓이 있을 수 없다.

"추측을 해 보자면…… 어쩌면 메르딘 봉쇄는 마족들이 바라던 바가 아니었을 수도 있겠네요. 즉 마족이 아닌 다른 이가 메르딘을 봉쇄했다는 겁니다."

"사실 그것밖엔 생각할 수가 없죠. 던전 융합을 미리 눈치채고, 그것을 막고자 했던 누군가가 메르딘의 모든 이를 희생하여 요마왕의 강림을 막았다…… 지극히 자연스러운 결론이네요."

그렇다면 그 누군가는 대체 누구란 말인가. 사실 에반이 아는 사람 중 그것을 해낼 만한 이는 레오의 아내이며 본인도 전설적인 영웅인 공신의 사제 아리아뿐인데, 아마 그녀는 그때 이미 레오와 함께 지옥에 있었을 것이다.

"하지만 대체 누가 그렇게나 마족들이 넘쳐 나는 상황에서 메르딘 전체를 봉쇄하는 대마법을 쓸 수 있었던 걸까요. 전혀 짐작도 안 가는데……."

"세상은 넓고 인재는 많으니까 또 혹시 모르지. 그래도 이렇게 되면 골치가 아픈데."

상상도 못 했던 사태에 에반의 머릿속이 복잡해졌다. 그도 그럴 것이 융합 과정에서 메르딘이 제외되면서 앞으로 나타날 던전의 모든 것이 게임 시나리오와 달라진 것이다.

던전 하나가 빠졌으니 설마 더 어려워지기야 했겠냐마는, 에반이 모르는 패턴이 나타날 가능성이 넘쳐 나는 만큼 던전 공략에는 한층 더 주의를 기울여야 할 것이다.

'게다가 더 큰 문제는 요마왕인데.'

매우 당연한 일이지만, 요마왕을 잡기 위해서는 일단 놈을 한 번 부활시켜야 하는 것이다! 그런데 메르딘 던전이 이대로 봉쇄된 채라면 결국 요마왕은 부활하지 않게 되고, 놈을 부활시키기 위해 날뛰는 마족들로 인해 인간의 피해만 늘어나게 될 터.

무엇보다 이대로 부활 의식이 무한정 계속되게 놔두는 것보다 놈을 일단 한 번 살렸다가 죽이는 쪽이 마족의 전력을 약화시키는 데에 훨씬 효과적이라는 점에서 지금 상황은 에반에게 그리 유쾌하지 않았다.

"그래, 그러면 결국 시나리오가 최종장에 이르기 전에 메르딘의 봉쇄를 풀긴 풀어야 한다는 결론이 나오네. 중간에 그 과정을 삽입해서 세부적인 시나리오를 다시 구성해 봐야겠어."

에반이 계획한 시나리오의 노선이 크게 변경되는 순간이었다. 물론 이 모든 시나리오의 주역은 루이즈가 이끌고 있는 파티!

아마 루이즈가 이 이야기를 들었더라면 무척 기뻐했을 것이다. 아직 그녀는 무엇도 증명하지 않았는데 모든 상황이 그녀가 원하던 대로 돌아가게 되었으니까!

"린란 자매는 요즘 좀 어때?"

그리고 변경된 시나리오에서는 린과 란의 역할이 매우 중요해질 것이다. 그 둘은 메르딘의 결계를 해제할 수 있는 유일한 후보였으니까! 에반의 물음에 샤인이 즉각 다가와 답했다.

"진이 도련님께 임무를 받고 바빠져서 안 놀아 주니까 많이 섭섭한 모양입니다. 아닌 것 같아도 그 녀석들, 실은 진을 제법 좋아하는 것 같아서……."
"아닌 것 같긴 뭐가, 그냥 대놓고 좋아하잖아."
"……예?"
"몰랐어?"

샤인은 그것도 몰랐느냐는 에반의 시선을 피해 고개를 돌렸다. 그러나 다른 이들도 마찬가지 표정으로 그를 바라보고 있었다. 심지어 가장 최근에 파티에 합류한 미로엘마저!

"그것도 라이크Like가 아니라 러브Love지."
"아니, 그것까진 전혀 짐작도 못 했는데요…… 게다가 진은 그렇다 쳐도 그 녀석들은 이제 겨우 열두 살인데."
"여자 나이 만으로 열두 살이면 사랑을 알기엔 충분히 성숙한 나이랍니다, 샤인."
"그럴 수가."

주니어조 아이들의 어린 시절 그 아이들의 보모나 마찬가지였던 샤인은 아이들이 어느덧 사랑을 할 정도로 자라났다는 사실에 큰 충격을 받은 모양이었다. 샤인을 좋아하는 마리가 불쌍할 따름이다.

"아무튼 그렇다면 녀석들한테 새로 할 일을 줘도 괜찮겠지."

"설마 도련님, 도련님께서 말씀하시는 그 시나리오에 아이들을 끼워 넣을 생각이십니까?"

"바로 그거야."

나날이 수상한 행동을 보이는 작은어머니, 미리엄. 그리고 드디어 그녀를 수상하게 여기기 시작한 어스트레이 단장 에반 디 셰어든!

그녀와 협조하고 있는 세력이 있다고 확신한 그는 셰어든에서 일어나고 있는 일들을 깊게 파기 시작하고, 끝내 흑마법의 존재를 알아낸다.

그는 마침 자신의 제자인 루이즈가 흑마법을 다루는 이들과 투쟁을 벌이고 있다는 사실을 알아차리게 되고, 자신 휘하에 있는 사제 자매 린과 란을 새로이 파견해 제자를 돕게 한다.

아직 어리지만 재능이 넘치는 아름다운 소녀들! 그녀들은 압도적인 능력으로 적아를 모두 놀래 주며, 둘의 도움으로 루이즈 파티는 한층 더 빠르게 성장하게 된다.

"하지만 어느 날, 야밤중 악의 조직과 마주쳐 치열한 격전을 벌이던 도중 그들을 막아서는 검은 그림자. 뒤에서 일행을 신성력으로 보조하고 있던 린은, 그 그림자의 정체가 실은 자신이 짝사랑하는 소년이며 같은 어스트레이의 단원인 진이라는 사실을 알아차리게 되는데……!"

"젠장, 어느덧 귀 기울여 이 이야기를 듣고 있는 자신이 밉다……!"

에반이 풀어놓는 막장 스토리의 매력에 샤인은 흠뻑 빠져 헤어 나오질 못했다.

이 뒤로 펼쳐질 진과 린란 자매의 삼각관계에 대한 이야기까지 하면 샤인은 아예 정신을 차리지 못할 것이다. 물론 동시에 에반도 애들 갖고 소설 쓰지 말라며 혼나겠지만.

"후, 어쨌든 메르딘 봉쇄의 진실에 대해 보다 일찍 알게 됐으니 다행이야. 시나리오를 빠른 단계에서 수정할 수 있었으니까."

"그럼 우리는 아무 부담 없이 던전을 공략하면 되겠군요. 언데드가 안 나온다니 마음이 조금 편해집니다."

상황이 마냥 나쁜 것은 아니었다. 메르딘의 봉쇄가 마족들로서는 전혀 의도하지 않았던 일이라는 사실을 알아낸 것만으로도 충분히 훌륭한 수확이었다.

마족에 반하는 이가 자신만이 아니라는 것, 이만큼 든든한 일이 또 있을까? 인류에게도 마냥 희망이 없는 것은 아니었던 셈이다.

"좋아, 그럼 우리는 계속해서 던전 탐사하자. 혹시 모르니 언데드에 대한 경계는 늦추지 않도록."

"알겠습니다!"

"그럼 바로 길을 찾을게요."

51층에서 심층의 맛보기로 씨 오우거가 나타난다면, 52층에는 본격적으로 신체가 끔찍하게 융합된 키메라들이 나타났다.

그렇다. 이번 층의 보스가 바로 키메라였다. 심층에서는 이이후로도 키메라가 자주 나타나게 된다.

다만 본래 메르딘까지 합쳐질 예정이었던 것이, 그게 빠지고 나니 흉측함이 덜한 키메라들이 나타난 덕에 한결 놈들을 상대하는 일행의 마음이 편했다.

"다만 생판 모르는 몬스터를 상대한다는 게 제법 낯선 기분이긴 한데."

에반은 연속으로 비드를 튕겨 정체 모를 키메라의 머리통을 가볍게 날려 버리며 중얼거렸다.

사실 씨 서펜트의 비늘과 샤벨타이거의 뼈대를 갖고 있는 이 키메라가 그렇게 가볍게 죽일 수 있을 만한 놈은 아니었지만 에반에겐 이제 와 새삼스러운 일이었다.

"당분간은 데이터 수집을 중점에 두고 돌아다니자. 우리 뒤
로 심층에 들어올 사람들에게 건네줄 자료에 보충을 좀 해야
겠어."
"알겠습니다."

본래 어스트레이 시니어조가 던전 한 개 층을 돌파하는 데
5시간이 걸리지 않았다고 하면, 51층 너머의 심층은 무려 그
세 배 가까이 되는 시간이 소모되었다.
에반은 드디어 혼자서 던전을 맵핑하는 데 한계를 느끼게
되어 바람의 정령을 다루는 미로엘과 협력해 지도를 작성했
는데, 그 덕에 간신히 인도자의 면을 세울 수 있었다.

"53층으로 내려가는 계단입니다."
"아, 그럼 오늘은 이제 그만 쉬자. 던전에 들어오기 전에도
말했지만 조급하게 내려갈 필요는 없으니까."

계단을 발견한 미로엘이 그곳에 다가가 신들의 축복을 받
는 사이 에반이 일행에게 선언했다.
사실 그들 파티의 스태미나라면 30시간 정도 연속으로 움
직이는 정도로 그리 크게 지치지는 않지만 에반은 던전 안에
서도 인간은 인간다울 권리를 보장받아야 한다고 생각했다.

"자, 봐봐. 이 통에 수식을 새긴 이 크리스탈을 하나 집어넣기만 하면……."

"헛, 설마 이 뿌연 목욕물…… 이거 형제 목욕탕의 목욕물 아닙니까!?"

"바로 그거야. 이번에 간이 목욕탕을 개발했거든."

"탐험가들이 이걸 알게 되면 정말 일대 폭동이 일어나겠는데요……."

바로 그 시각, 세이브와 르나일 또한 에반에게 간이 목욕탕을 만드는 크리스탈을 받아 온 루이즈를 여신 섬기듯 숭배하고 있다는 사실은 말하지 않아도 뻔히 알 수 있는 것이었다.

그로부터 열흘이 흘러, 에반 일행은 셰어든 던전 60층에 도달했다. 루이즈 파티가 10층에 도달한 것과 비슷한 타이밍이었다.

《죽지 않는 엑스트라》14권에서 계속…….